アカデミック・スキルズ

プレゼンテーション入門

学生のためのプレゼン上達術

慶應義塾大学教養研究センター 監修
大出 敦 編著　直江健介 著

慶應義塾大学出版会

はじめに

⊙ さまざまなプレゼンテーション

　プレゼンテーションと聞いて、どのようなことをイメージするだろうか。アメリカで行われている TED（Technology Entertainment Design）のような人を感動させるようなプレゼンテーションやテレビドラマなどで見るビジネス・シーンで、新企画を上司やクライアントに提言する場面だろうか。いずれも格好がよい姿が強調され、みなさんもあんな風にプレゼンテーションをしてみたいという誘惑を感じたことは一度や二度ではないかもしれない。

　ところがそうしたものに憧れて、実際の大学の授業や発表の場でプレゼンテーションをやってみると、上手くいかないことが多々ある。これは一体どういうことだろう。

　また授業で発表しなくてはならなくなり、書店で見かけたプレゼンテーション本を参考にして、パソコンでスライドを作ったのに、実際の授業でプレゼンテーションをしてみると反応が悪く、議論も生まれないといったことをすでに経験した人もいるのではないだろうか。

　ここには学生のみなさんが誤解しがちな間違いがいくつか潜んでいる。まず**プレゼンテーションの目的は何か**と考えてみることから始めよう。何のためにプレゼンテーションをするのか。授業のためなのか、人に感動を伝えるためなのか、それとも何かを買ってもらうためなのか。

　たとえば授業で、難民問題をプレゼンテーションしたとしよう。難民キャンプの悲惨な状況の写真を見せて、「彼らは困っているんだから、みんなで助けようよ。助けてくれって言っているんだ、何かしてやらなくちゃいけない、どんなことができるか考えてみようよ」と訴え、いくら感動的な口調で話し、自分たちのできることを具体的に提案したとしても、それが自分が立ち上げたNPOの会議でなら説得力を持つだろうが、大学の社会学や政治学の授業であれば、難民問題についてまったく分析されていないと言われ、評価されないだろう。どうしてだろう。

大学の授業で求められているのは、困っている人を助けるために何をしたらよいのか、という具体的な提言ではないからである。もちろん、誰かを助けるために何か行動をすることは大切なことだ。しかし大学ではそうしたことよりもなぜ難民問題が生まれるのか、現状はどうなっているのか、各国の取り組みはどうなっていて、どのような問題があるのか、なぜ取り組みが上手くいかないのか、制度的な問題は何かなどが問われているからだ。

　あるいは少子高齢化が進んでいる日本社会について分析が求められた時、少子化から脱却するために子どもを産んだり育てたりする環境を整えるべきだとして、子どもの数が増えればそれに応じて、扶養手当を増額するよう法律を変えるべきだとか、職場に託児所を設けるべきだといった議論が展開されたりする。それはそれで意義のある議論であることは否定しないが、以上のことは誰もが分かっていることだ。しかしアカデミックな場では、それを実現しようとすると、何らかのブレーキがかかり、こうした政策が実施されなかったり、本来の議論とは違った制度に変容してしまったりすることの原因を分析したり、少子高齢化がどのように進展してきたか、あるいは少子高齢化を回避する法的・社会的な環境がなぜ整わないのか、そこに潜む日本人に共通するメンタリティはどのようなものかなどを浮き彫りにすべきだし、そうしたことが求められるのがしばしばだ。

◉プレゼンテーションの目的

　何が問題なのかといえば、TED のようなプレゼンテーション、ビジネス・シーンでのプレゼンテーション、大学の授業でのプレゼンテーションは、それぞれ**目指すゴールが違う**ということである。たとえば TED のゴールははっきりしている。TED はテクノロジー、エンターテイメント、デザインの頭文字を取ったものだが、さまざまな分野から「感動」や「衝撃」をもたらすアイディアやエピソードを紹介し、広めることが目的なのだ。

　一方、ビジネスでのゴールはいろいろ考えられるが、その目的の1つ

に「提案」というものがある。実際、多くのビジネスのプレゼンテーションの本では、いかに効果的に提案するかということが書かれている。商品を紹介するにしても、何か経営上の問題を解決するためにしても、最終的にはその商品がいかにすぐれているか、いかに効果的に問題を解決できるかを相手に提案し、取り入れてもらうことがビジネスでは求められているのだ。

　これに対し、大学の授業で行われるプレゼンテーションのゴールはどのようなものだろうか。もちろん授業によってゴールはさまざまである。文学の授業と実践的な経営学の授業で行うプレゼンテーションとではおのずとゴールも手法も異なってくるはずだ。しかしそれでもアカデミックなプレゼンテーションと言った時に何か共通するものがあるはずだ。それを考えてみよう。アカデミックなプレゼンテーションとはどんなものを言うのだろうか。原則としてアカデミックなプレゼンテーションのゴールは、**仮説の正しさの証明**である。ユニークなアイデアの紹介やより効率的な経営の提案ではない。

　そう聞くと、みなさんはアカデミックなプレゼンテーションは、何だか地味な面白みのなさそうなものに思ってしまうかもしれない。確かにみなさんの多くは、時に大きな身振りをし、時に笑いを取るジョークをはさみ、しかめ面をしたクライアントを納得させるのがプレゼンテーションだと漠然と思っているのかもしれない。しかし実際、大学で求められるプレゼンテーションは、そうしたイメージからはかけ離れたものである。その意味ではがっかりするものかもしれない。しかしこの地道**な仮説の構築とその検証が重要**なのである。なぜならこれらの経験が実はTEDのようなプレゼンテーションや、やがて社会人になった時、会社やクライアントに対する提案の基礎となるのだから。こうした堅実な基礎作業があって初めて、印象や思い込みによるものではない、説得力のある、感動的なプレゼンテーションになるのだ。

　ところが実際に授業で学生のみなさんが発表をすると、仮説を検証するプレゼンテーションではない、個人の印象や先入観を前提とし、何かを提言するプレゼンテーションになってしまうことが多い。こうしたも

のを「提言型」とここでは名付けてみよう。この提言型は、実は高校生から大学生になったばかりの1年生や2年生のプレゼンテーションに比較的よく見られる傾向だ。そしてこの型の特徴は、まず自分の個人的な経験から語り始めることである。たとえば高校の時、模擬裁判のワークショップに参加したとか、貧困に関するドキュメンタリーを見て衝撃を受けたなどなどである。こうした個人的な経験を踏まえて、この状況を変えるには、社会を変えた方がいい、こうした法律を作った方がいい、認識を変えるべきだという提言を行っていく。これはこれで、ある種の型にはなっているのであるが、どうも大学の授業で求められるものとは異なっていると言わざるを得ない。誤解してほしくないのは、もちろんこうした個人的な経験を否定するつもりはないし、むしろ青年期の感受性や問題意識を育てる貴重な経験だと筆者も考えている。ただこうした経験に基づいて考えたことをアウトプットする時、個人的な体験をそのまま語り、何かを提言するパターンが、大学の授業のプレゼンテーションにふさわしいかというと、どうも違うだろうということだ。

⊙大学でのプレゼンテーション

　では大学の授業で求められるプレゼンテーションの基本とはどのようなものなのだろうか。まずプレゼンテーションには基礎と応用があるとしよう。言うまでもないが基礎の上に応用があることになる。先ほども言ったように、社会人になってビジネスの世界に身を置くようになったり（学生時代からベンチャービジネスを始める人がいるかもしれないが）、大学院に進学して研究者を目指したりした時に行うプレゼンテーションを応用編ということにしよう。それに対し学部時代のプレゼンテーションは、基礎編であるということになる。

　実際、大学学部の多くの授業は、社会に出た時、さまざまなものを批判的・多角的に捉えることができるように、それぞれの学問の基礎を学ぶことが重要視されている。そしてこうした基礎学問の授業では、「〇〇をしよう」という提言型はあまり求められていない。そうした提言をするための基礎固め、「〇〇は△△である」というものや「〇〇ならば、△

△である」といったタイプの論証をして、研究対象や現象を分析するものになるはずである。大学学部での学びの基本が、「○○は△△である」ことが真であることを論証する基礎学問であるとするなら、プレゼンテーションも高校時代までの「提言型」ではないものが求められてくることになることは想像がつくだろう。これを「提言型」に対して「論証型」と呼ぼう。**この「提言型」から「論証型」へのスイッチの切り替えができるかどうかが、大学の授業でのプレゼンテーションが成功するかどうかの分かれ道でもある。**

　さあ、これからそれをどのようにすれば身につけられるか、見ていってみよう。この本は全部で3つの部分からなっている。プレゼンテーションはスライドを使って発表するのが花であるが、それにいたるまでの作業を**第1部基礎編「プレゼンテーションについて考えてみよう！」**で確認しよう。**第2部準備編「スライドを作ってみよう！」**は、いよいよスライドの具体的な作り込みの方法だ。これには直江健介先生に登場してもらって、説明してもらおう。そして**第3部実践編「さあ、プレゼンテーションに挑戦！」**では、発表本番、いかに効果的に発表ができるかを考えてみよう。

　さあ、では、いざ行かん！

Contents

第 1 部

基礎編
プレゼンテーションについて
考えてみよう！

1 ┃ ところでプレゼンテーションって何さ?

1 「問い」を立てることから始まる

　一口にプレゼンテーションをするといっても、いくつもの段階を経て、実現していかねばならないことは想像がつくと思う。だが、実際にどんな段階を経ていくのかと考えると「どうすればいいんだろう」と戸惑う人も多いのではないだろうか。だからといって、先輩のプレゼンテーションを見て、「なるほど、プレゼンテーションにはパソコンのスライド用のソフトを使えばいいのか」と納得して、さっそくスライドを作り始めても、結果は不幸なことにしかならないことも想像がつくだろう。主張したいことを何も考えずにスライドを作っても、それは時間の無駄というものだ。「いやいや、作っているうちに考えがまとまって、どうにかなるよ」という無鉄砲な人もいるかもしれないが、残念ながら、そういった猪突猛進型で成功する人はいない。そもそも何を論じたいのかが決まっていなければ、スライドを作りようもないはずだ。何も考えずに行き当たりばったりでスライドを作っていっても、プレゼンテーションは成功しない。

　本書では、スライドを使ったプレゼンテーションがどうすれば成功するかをみんなで考えていきたいと思う。

　早速だが、聴衆の前に立って、堂々とプレゼンテーションをして、評価されるにはどのような手順で何を準備すればよいのだろうか。まず考えなければならないのは、**何についてプレゼンテーションするのか**ということである。まずは、プレゼンテーションを聴いてくれる人に向かって提示する「問い」が必要である。何か世界の事象に対する学問的な「問い」がなければ、プレゼンテーションは始まらない。プレゼンテーションとは、聴衆を前にして口頭発表を始める時がスタートなのではなく、**学問的な「問い」を立てるところがスタートライン**なのである。

　そしてこの学問的な「問い」に対して、自分で仮説を立て、それを検

12

証して、自分の仮説の正しさを証明する。そのためにはさまざまな文献や資料を読み、フィールドに出て、アンケートを取ったり、調査をしたりすることになる。

　こうして自分の仮説の正しさを証明できたら、それを聴いてくれる人が理解し、納得してくれるような形でアウトプットする必要がある。つまり発表用の原稿を作成する必要が出てくるだろう。

　「発想→仮説→検証・調査→発表原稿作成」という一連の作業が一段落したところで、はじめてプレゼンテーションの花形、スライドの作成に入れるのだ。みなさんが考えているほど簡単にスライドの作成に辿り着けるわけではないのである。

　スライドの作成が終わっても、それで準備が終わったというわけではない。プレゼンテーションの最も重要なことは何かといえば、聴衆が、自分の発表内容を理解し、納得してくれることである。その上で質疑を受けたり、議論をすることで、発表者も聴衆も問題に対するさらなる理解が深まることである。そのためにも聴き手が理解しやすくなるような工夫をしなければならない。それは言葉遣いであったり、紙の資料を配付したりすることであったりする。

　またプレゼンテーションの後では、質疑応答があるのが一般的である。この質疑応答に対する準備も必要になってくるだろう。

　さて、**たった十数分のプレゼンテーションであっても、膨大で地道な調査や準備が必要**なことが少し思い描けただろうか。本書では、こうしたプレゼンテーションのために行う一連の作業がどういうものかを順を追って紹介していこうと思う。

　最初に、どのように学問的な「問い」を立てて、仮説を作ればよいのかを考えてみよう。それからどのようにその問いと仮説を検証すればよいのか、どのように調査をすればよいのかということを見てみよう。その上で、この「問い」と仮説のために集めた資料を効果的に見せること、つまりアウトラインを作り、それを肉付けして発表原稿を書き、スライドを作る方法を考えてみよう。

　またプレゼンテーション当日、気をつけなければならないことを概観

して、質疑応答をどのように対応すればよいのか、つまりどのような質疑応答がお互いにとって発展的で、広がりのあるものになるかを考察してみたい。

2 「問い」の哲学！

　具体的な記述の前に、プレゼンテーションの出発点である最初の**「問い」の発見**について考えてみよう。ここが一連の作業のうち、最も重要で、全体の中核になるところだからだ。ここでの大切なことを次の言葉に集約しよう。

　　私たちはあくまでも、その主観的視点からしか客観という理想を発展させられない。

　この言葉は筆者の言葉ではない。新進気鋭のドイツの哲学者マルクス・ガブリエルの言葉だ（マルクス・ガブリエル『「私」は脳ではない──21世紀のための精神の哲学』［姫田多佳子訳］、講談社、2019年）。これを読んでいるみなさんの中にもこの人の名を聞いたことがある人はいるのではないだろうか。この言葉はプレゼンテーションに至る一連の過程のうち、発想し、そこから論を構築するまでの段階で、忘れてはならないことを教えてくれる。でも、**「主観的視点」**や**「客観という理想」**といった普段あまり使わないような哲学的な言葉が出てきて戸惑っている読者も多いかもしれない。そこでこの言葉をプレゼンテーションという観点に沿って少し解説することから始めよう。

　この言葉をプレゼンテーションに当てはめた時、「主観的視点」というのは、最初の「問い」の芽に当たるものである。主観的・個人的な視点が問いの原点だということだ。とすれば、私たちのアカデミックな問いは主観的、すなわち個人的なものでもよいことになる。だが、みなさんがよく言われてきたのは、個人的な問いではなく、「客観的な問いを立てなさい」や「普遍的な問いにしなさい」ということではなかっただろうか。この「主観的視点」というガブリエルの設定は、これまでみなさ

んが習ってきたことと矛盾した印象を与えるものだ。しかし実は当たり前だが、**私たちは、私たちの個人的な体験からしか「問い」を構築することができない**。これを読んでいる読者のみなさんの多くは、大学1、2年生が多いと思うが、これまでの人生で経験したことからしか、みなさんの「問い」は作れないのである。そして重要なのは、ある現象を見て、「おや」、「あれ」と疑問に思う点というのは、個人がそれまで経験したことによってしか生じないため、人それぞれ異なるということだ。それをまず大切にしよう。

　そう、プレゼンテーションの出発点は、私たちの個人的な体験に基づく独創的な「問い」の発見でもあると言えるのだ。そうした意味では、アカデミックなプレゼンテーションは、あなたの生き方に関わっていて、それを提示するものであると言えるかもしれない。

　ところがこの最初の個人的で主観的な「問い」は非常に漠然とした場合が多い。本を読んでいて、「おや」「あれ」と思うことかもしれないし、大学に通う道で何かいつもと違う感じがするといったことかもしれない。この何だか言葉に上手くできないけど、「何か違う」という感覚は大切にしなければならない。何しろこれが**君たちのプレゼンテーションの出発点**になるものなのだから！　そう、この「何か変だ」が、主観的視点が形成された瞬間なのだ。しかしこれだけでは単なる「思いつき」「思い込み」、ひどければ「勘違い」と言われてしまうかもしれない。確かにそうだ。プレゼンテーションの場で、ある時感じた「おや」「あれ」をそのまま話したら、「論外！」と言われるのは間違いない。だってそれはまだ個人的な経験から導き出された「主観的な問い」にすぎないのだから。

　この出発点の「主観的な問い」の芽をもう少し育ててあげよう。そうすると「おや」「あれ」「何か変だ」と思っていたことの輪郭がもう少しはっきりしてくるだろう。この輪郭を持たせることは、「おや」「あれ」「何か変だ」というものを他人と分かち合えるものにする、と言い換えることができるだろう。「思いつき」「思い込み」と言われてしまうものを第三者の他人と分かち合えるものに発展させなければ、せっかくの「問い」の芽も枯れてしまう。あなたの感じた「おや」「あれ」「何か変だ」

を私もあなたも彼も彼女も理解できるものに変換すること、これが**「客観という理想」**に発展させることだ。「客観」とは私が感じた「問い」の芽を他人と分かち合えるようにすることなのだ。そうすることで、主観的な「問い」の芽は、客観的な「問い」になる。

　では他人と分かち合うとはどういうことだろう。私たちは私でない誰かが頭の中でイメージしたものと同じものを思い浮かべることはできない。しかしそのイメージを伝達してもらうことはでき、そのことでそのものではないにしろ、その**イメージを共有する**ことができる。この時の操作、つまり「私」と「あなた」が同じものを共有できるようにする操作とは、簡単に言ってしまえば、「私」と「あなた」が共に理解できる**言語表現に置き換えること**と言える。

　これは、私が辿った検証の道筋をあなたも辿ったら、ほぼ同じ結論に達することと言い換えられるだろう。もちろんその結論に賛成するか反対するかは別の話だ。しかしほぼ同じ結論に達するということが、「分かち合う」ことであり、できる限り多くのことを分かち合えることが「客観という理想」に向かって発展していくことになるのだ。ここでは、「思いつき」や「思い込み」を独りよがりなものとして考えるのではなく、「客観という理想」の出発点として考え、それを聴衆と分かち合えるようにすることを目指そう。

　さて、では、この「思い込み」から始まる「主観的視点」をどのように「客観という理想」に落とし込んでいけばよいのか、ということから早速、考えてみよう。

> **ポイント！**
> ・主観的な問いをいかにみんなが共有できる普遍的で客観的な問いにするかが重要。

2 ┃ テーマや問いってどうやって立てるの?

1 テーマや問いの絞り方

まず次の話を読んでほしい。A君もB君も、自分の経験から問いを作り出した。だが、果たして上手くいったのか、考えてみよう。

ケース1

A君は、大学で「アカデミック・スキルズ」という授業を履修していた。この授業は一年間をかけて、論文の書き方とプレゼンテーションの仕方を学ぶもので、履修者は1クラス20名で、教員は3名という少人数の授業である。5月の授業の時、先生から「各自、自分のテーマを決めておくように。来週発表してもらいます」と宿題が出された。

アカデミック・スキルズの授業では、自分で問題を発見し、解決するということが授業の大きな目標であるため、問題、つまり「問い」を自分で考えなければならなかった。

A君は、ここで困ってしまった。高校までは「○○について論じなさい」や「××についてどう思うか考えなさい」のように「問い」は先生が指示したり問題用紙に書かれていたりしたのだが、それを自分で考えなければならなくなったからだ。これまでそんな経験はほとんどしたことがなかった。A君は自分の興味のあることを考えた時、小学校の頃、日本の神話に興味を持って、日本の神について調べたことを何となく思い出した。その時、オオクニヌシに一番興味があったことも思い出してきた。そこでオオクニヌシのことを調べようと考えたのだが、今度はオオクニヌシの何を調べるかで行き詰まってしまった。

日本の歴史も好きだったので、小学生の時、家族旅行で奈良に行き、三輪山に登ったことを思い出したA君は、「そういえば三輪山

の祭神はオオモノヌシだったなあ」と思った。すると小学校の時は気付きもしなかったが、「あれ」と思った。「オオモノヌシはオオクニヌシの別名だったよな。大和王朝はアマテラス系のはずなのに、何で当時の都の置かれた飛鳥の三輪山に出雲のオオクニヌシ系の神社があるんだろう、不思議だなあ」と。そこで「これはテーマになるかもしれない。でもそういえばオオクニヌシを祀ってある出雲大社について発表してもいいなあ。古代はものすごく高い建造物だってことが何かに書いてあったな」。

　この頭に浮かんだアイディアの中から、「やっぱり三輪山のことにしよう」と決めかけたのだが、すぐにA君は「いやいや待てよ」と考え直してしまった。「『三輪山の祭神がアマテラスではなくて、オオクニヌシ系になったのはなぜ？』って、来週の発表の時に先生に聞かれたらどうしよう、調べてないから、答えられないや。『出雲大社もどうやって高く作れたのか、なぜ高いものにしたか』って聞かれたら、答えられないよ。これはまずいよ」。

　そこでA君は「そうだ、テーマは『オオクニヌシについて』とすれば、どんな質問がきても、それに応じてこれこれです、とその場で言えるし、三輪山のことも出雲大社のことも触れられるし、いざとなったらこれから考えますと言える。下手に細かくて具体的なテーマにしたら、実際書いてみて、上手くいかなかった時も大変じゃん。どう考えたって、どんなことを訊かれても何か言いつくろえそうなのは『オオクニヌシについて』以外にないよ、これが一番いいよ」。

　こんなことを考えて、A君は最終的に「オオクニヌシについて」というテーマにして、次の授業の時、自分のテーマを先生とみんなの前で披露した。すると先生はため息をつくようなそぶりをして肩をすくめた。

ケース2

　B君は、理工学部に所属している2年生だが、レポートを書くの

が得意ではなかったので、「アカデミック・スキルズ」を履修していた。B君も「テーマについて考えてきて下さい。来週の授業の際に発表してもらいます」と言われ、テーマを考え始めた。

　B君は情報工学を将来、専門にしようと考えていたが、それは有名なアメリカ人のスティーブ・ジョブズに憧れていたからだ。最初はジョブズその人をテーマにしようと考えていたが、単なる伝記になってしまうことに気づいて、それではつまらないと思うようになった。その時、ひらめいたのが、ジョブズではなく、ジョブズのカリスマ性だった。「カリスマ性をレポートのテーマにすれば、上手くいくかも」とB君は思った。

　ジョブズには間違いなくカリスマ性がある。ジョブズ以外にもカリスマ性があると言われる人物は、歴史上、沢山いる。織田信長やナポレオン、あるいは宗教に目を転じれば、釈迦やキリストもカリスマ性があったのではないかとB君は考えた。そこでB君は、カリスマ性を数値化して、客観的なデータでカリスマ性を表現しようと考えた。どうやって数値化するかは後で考えるとして、ともかくこれでテーマは決まったとB君は一安心して、題名は「カリスマとは何か」とすることにした。

　次の週、授業で、B君は「スティーブ・ジョブズのようなある種の人物はカリスマがあると言われています。そこでこうしたカリスマがあると言われる人物を標本にして、カリスマを数値化して、カリスマとは何かを明らかにしようと思います」と述べた。

　すると先生は、「本気なの？」と聞き返した。

　A君もB君も先生からどうも高い評価を得ていないような気がしないだろうか。A君もB君も自分の個人的な体験、主観的な観点からテーマを決めたことは分かるだろう。しかしこれが大学1年生が15分程度で行うプレゼンテーションにとってふさわしいものだろうか。そう考えると、これらは確かに先生の反応のようにあまり適切なものとは言えないだろう。ここではA君とB君、それぞれの問題点を見ていき、どうすれば適

切なテーマ、問いの設定になるか考えてみよう。

　まずはＡ君から。Ａ君の一番の問題は、**テーマが広すぎること**である。アカデミックなプレゼンテーションの場合、テーマは極限まで絞ることが重要だ。

　Ａ君は「オオクニヌシについて」として、後でどうにでも変えられるようにしておこうと思っていた。しかしこれが逆に首を絞めることになる。考えてほしい。オオクニヌシについて10分や15分程度の時間で全体を包括的に論じることは可能だろうか。一口にオオクニヌシを論じると言っても、文学的な観点から論じるのか、文献学的な観点からなのか、神話学的な観点からなのか、歴史学的な観点からなのか、それによってアプローチの仕方も変わってくる。逆の言い方をすれば、オオクニヌシのこうした要素全てを語ることはどんなに時間や知識があってもできないのだ。文学的なオオクニヌシ、文献学的なオオクニヌシ、神話学的なオオクニヌシ、歴史学的なオオクニヌシの学問研究は確かに成立するが、こうした学問研究全てを包含するオオクニヌシの全てを論じる観点は存在するだろうか。少し考えてみれば分かるが、存在しないのだ。しかしＡ君の「オオクニヌシについて」は、こうしたオオクニヌシ探求のすべての観点を包括する観点に立って論じようと宣言しているみたいなものだ。だが、こうした広い観点が存在しない以上、論じることもできない。つまり**広すぎるテーマや問いの設定は、何もテーマを設定していないに等しい**のだ。だからテーマを絞って、個別のオオクニヌシにアプローチしなければならない。

　Ａ君は、自分の個人的な経験からオオクニヌシにアプローチしていた。最初の思いつきは、家族で旅行した時に奈良県の三輪山に行った時のことだ。三輪山は飛鳥時代の古代大和王朝の中心地にある山である。それにもかかわらずこの山の祭神は大和王朝系のアマテラスではなく、オオクニヌシ系であったのが最初の疑問であったはずだ。だからこの時感じた「あれ」という思いを大切にすべきなのだ。その芽を育て、たとえば**「オオクニヌシが三輪山の祭神として祀られた歴史的背景の考察」**といっ

たテーマに設定すべきだったのである。

　ちなみに提出したり発表したりするテーマは、自分の学問的立場を明らかにした方がよいので、「歴史的背景」や「人類学的観点」や「比較神話学からの考察」のようにこれから展開するプレゼンテーションの方法論的フレームを明示しておくとよいだろう。いずれにしても具体的にピンポイントでテーマや問いは設定すべきなのだ。**テーマは具体的に絞り込む**というのが、テーマや問いの設定でのポイントとなる。

　一方、B君のテーマはどうだろうか。A君の例を見てきたので、まずすぐに分かることはテーマが広すぎることだ。「カリスマとは何か」では、先ほども言ったように何もテーマにしていないし、問いにもなっていないに等しい。しかしここにはA君とは別の問題も潜んでいる。問題は「カリスマ」である。カリスマという語は、手元にある『広辞苑』を引けば、すでに宗教学や社会学で厳密に定義されている語であることが分かるが、B君は曖昧に「人を引きつける資質」のようなことを考えている。つまり研究対象の定義が曖昧なまま、論を構築しようとしている点がまず問題なのである。

　またB君のテーマはこの曖昧に定義されたカリスマを数値化するものとしている。この数値化するということはどういうことだろうか。B君は「方法は後で考えればいいや」と思っているようだが、果たしてそれで大丈夫なのだろうか。そもそもどうやって数値化するつもりなのだろうか。ジョブズや織田信長やキリストはすでにいないので、彼らを標本にして、調査することはできないはずだ。あるいはアンケートを取ってカリスマのありそうな人をランキングすることが数値化なのだろうか。これでは単なる人気投票であって、カリスマの何たるかはまったく解明されないだろう。それともカリスマがあると言われている人の脳波を測定し、そうした人が、他人と接する時、脳のどこの部位が活性化するのかを検査するのだろうか。そんなことを大学1年生が本当にできると思っているのだろうか。そしてそれで本当に数値化できるのだろうか。実現可能な計画がないことも問題なのである。

　先生が「本気なの？」と聞いたのは、そもそもカリスマの定義を曖昧

なままにしておいて、もし「どんな人にカリスマを感じますか？」「カリスマとは何ですか？」と、アンケートを取ったとしても、カリスマとは何かという問いの本質に迫ることはできないからだ。またカリスマがあると言われている人の脳波を測ったり、そのほか医学的・生物学的・生理学的測定をしたりするというのも、大学生1、2年生にはそもそも無理な話だからだ。

　つまり「カリスマとは何か？」というテーマ設定自体が、大学1年生が10分から15分で行うプレゼンテーションのテーマとしては、無理があり、実現できないものなのである。

　こうした場合は、テーマや問いを変更する必要がある。どうしてもカリスマということにこだわるのであれば、たとえば**戦後の新聞・雑誌などで「カリスマ」の語の出現回数を年ごとに調べ、統計を取り、それと社会状況を重ね合わせて、分析してみる**などとした方がよいだろう。いずれにしても**与えられた時間と自分が調べられる範囲を考えて、実現可能なテーマや問いを設定する必要**がある。そうでないと最終的にはプレゼンテーションまで辿り着けないことになる。

　さて、この節のまとめをしておこう。私たちは「主観的な観点」から問いを作るので、個人的な体験に基づいた「問い」から出発するになるが、それが広すぎはしないか、与えられた時間や行動範囲から考えて、適切なものか、そもそも答えを導き出せるものなのか、調査方法が現実的なのかを考えて学問的なテーマや問いに洗練していかねばならない。

　だから「移民について」よりも「サルコジ政権下におけるフランスの移民政策の変遷とその経済的影響」の方がよく、「東南アジアのインフラ問題」よりも「シンガポールにおける水道網の拡充の問題点」の方がよく、「太宰治の虚構性」よりも「太宰治の自伝的小説『思ひ出』における『私』の虚構性について」の方がよいのである。

　テーマを考える時は、範囲が広く、考察の対象が曖昧なテーマや問いではなく、実現可能な、具体的で狭められたテーマや問いを作ることを考えよう。ところで授業などでテーマや問いを提出して下さい、あるい

は発表して下さいと言われ、自分のテーマ、問いを発表する機会もあると思うが、**その発表したテーマや問いは、そのまま自分のプレゼンテーションの最も短い要約になっていなければならない**ということを意識しておこう。テーマや問い、あるいはそれはタイトルという形になっているかもしれないが、いずれにしてもこれらは、これから行うプレゼンテーションの最小にして最も明解な要約になるよう、作らねばならない。そのことを考えても広すぎるテーマや問いは適切ではないということが理解できるだろう。

2　困った！　どうしても「問い」が思い浮かばない

「主観的な観点」から「問い」を作ることが大切であるということが分かってきたと思うが、前述のA君やB君のように、自分で問いを見つけ出すような状況は、実際の大学生の生活の中では珍しいかもしれない。もちろん卒論は自分で問いを見つけ出さなくてはならないが、普段の演習などでは、むしろ抽象的な考察の対象を与えられて、そこから自分の問いを導き出して、プレゼンテーションすることの方が多いかもしれない。たとえば少人数の演習形式の授業のテーマが「日仏交流」で、これに関連して、自分で問いを立てていくような場合だ。

　ところでこうした場合、どうしても「問い」を導き出せないような窮地に陥ることがある。ここでは、そんな時どうすればよいか考えてみよう。

　まずは次のケースを読んでみよう。

ケース3

　文学部の日本文学専攻に在籍していて、折口信夫の作品を愛するCさんは困っていた。夏休みの合宿形式のセミナーに参加することにしていたのだが、参加にあたって事前課題があり、それを提出しなければならなかったのである。そのセミナーは「生命」についてディスカッションするもので、「生命について各自、考えていることをまとめてくること」というのが、事前課題であった。Cさん

の友人が面白そうだからと言って誘ってくれたのだが、Ｃさん自体
は、それまで「生命」について何か深く考えたことがあったわけで
もなく、事前課題にどう取り組めばよいか分からず、弱ってしまっ
た。締切も迫ってきて、追い込まれてしまったＣさんは、とりあ
えず、ノートに頭に浮かんだことを適当に書き込んでみることにし
た。それが下の図である。

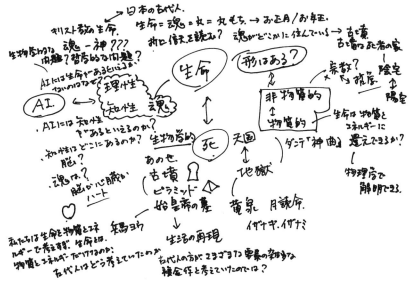

図１　プレゼンテーションのアイデア図

　雑然と書き連ねたメモを見ているうちに最初は、もやもやしてい
たものが何となく輪郭を取り始めてきたような気がしてきた。そこ
で今度は、その書き込んだ語を使って、いくつかの文章を作ってみ
た。以下がその文章である。

　生命には形があるのか。
　古代人は生命をどう考えていたのか。
　AI には生命があるのか。

逆に死とは何か。

　文章にしてみると、何となく自分が漠然と考えていたことが明確になってきた気がしてきた。Ｃさんはこのうち「古代人は生命をどう考えていたのか」というテーマを選んだ。これが自分の今の関心からするとしっくりとくるものだったからだ。

　もう少し具体的にしようと思って、「古墳時代の人々は、死んだら魂はどうなると考えていたのかを、古墳と古墳の副葬品などから考える」とした。研究の対象・手法をはっきりさせた方がよいと思って、具体的なものを付け加えることにしたのだ。これで事前課題がどうにかなると思ったが、現代との比較を入れた方がよいかと思い、「現代の死生観と比較して」とつけ加えることにした。こうしてやっとＣさんは事前課題に取りかかることができた。

　Ｃさんのように、これまであまり関心がなかったが、何かテーマを見つけ出さなければならないことがある。そういう場合でなくても、上手く考えがまとまらずに、どうしても１つのテーマに収斂させられないことも考えられるだろう。後述するように**Ｃさんはどうにかテーマを見つけることができたのにはちゃんとした理由がある**。こうした「困った！どうしても問いが思い浮かばない」という時は、どうすればよいか。

3　困った時のメソッド──拡散と収束

　テーマや問いを見つけ出す技法のことを**「発想法」**という。「発想法」のメソッドはこれまでにいくつも開発されている。代表的なものは以下のようなものである。

・ブレーン・ストーミング法
・ＫＪ法
・マインド・マップ

こうしたものが代表的な発想法である。これらのメソッドについて、ブレーン・ストーミング法とKJ法を組み合わせた例は、『アカデミック・スキルズ　第3版──大学生のための知的技法入門』（佐藤望編著、横山千晶、湯川武、近藤明彦著、慶應義塾大学出版会、2020年）や『アカデミック・スキルズ　グループ学習入門──学びあう場づくりの技法』（新井和広、坂倉杏介、慶應義塾大学出版会、2013年）に掲載されているので、参照してほしい。マインド・マップについてもたくさんの本が市販されているので、そちらを参考にして、必要なら実践してほしい。もし興味があるなら、インターネット上の書籍の通販サイトで検索すれば、沢山の書名が挙がってくるので、おもしろそうなものを選ぶとよいだろう。筆者が薦めるのは『授業に生かすマインドマップ──アクティブラーニングを深めるパワフルツール』（関田一彦、山﨑めぐみ、上田誠司、ナカニシヤ出版、2016年）である。

　ところで、「発想」を得るためには、上記のようないろいろなやり方があるが、Cさんの例を含めて、これらに共通することがある。

　まず「思いつかない」ということは、どういうことか考えてみよう。「思いつかない」とは、まったくの知識も経験もないということではない。「思いつかない」のは、自分の経験とこれから研究対象となるであろう現象とが結びついていないだけのことなのだ。

　私たちの経験と現象とが結びつかないのは、両者を結びつける言葉がないからだ。だから「問い」が存在してくれないのだ。であれば、**言葉を与えればよい**のである。

　そういった点で、Cさんの取った行動は正しい。とにかく研究対象にしようとしたものに関してイメージしたことを紙に書きつけるのである。特に規則立てて書く必要はない。とにかくスピードが大切で、頭に浮かんだイメージを次々に言葉に変換していく作業をすることが大切だ。

　実は、ブレーン・ストーミングもKJ法もマインド・マップもいずれも頭の中でもやもやしているものに対して言葉を与えて、可視化しているという意味では、Cさんの作業と共通する。いずれも未知の対象に自分のこれまでの経験から言葉を与えているのである。書くことで未知の

ものが意識化されるのである。

　このコツさえ分かっていれば、実はブレーン・ストーミングでもKJ法でもマインド・マップでもCさんの行った作業でも何でもいいのだ。ただ注意しておきたいのは、単に頭の中で考えるのではなく、実際に筆記用具を手にして、紙に書きつけることだ。

　もう1点、発想法で注意すべきことがある。上記で行ったことは、頭の中でもやもやしていたものにさまざまな言葉を与えて、明示的にする行為だった。これを**拡散作業**と呼ぼう。文脈や規則を考えずにとにかく頭に浮かんだことを自由に記述していくことだ。しかしアカデミックなプレゼンテーションをするには、ピンポイントの狭く絞ったテーマにすべきだということが、前節で学んだことであった。この拡散したイメージ群は、相互に矛盾したり、逸脱したり、飛躍したりしたものなど広範囲に拡散して、それこそ広がりすぎたものである。だからこれを収束させねば、学問的な問いに結びつかない。

　ここでもCさんが取った作業は、評価すべきだ。彼女は紙に書き出した言葉から、いくつかのテーマ、あるいは「問い」を作り出した。そしてそれらの中から今の自分に最もしっくりくるものを選択したのである。すなわち「古代人は生命をどう考えていたのか」である。この単語からテーマ、問いを作り出す時もあまり神経質になる必要はない。ナンセンスなものや当たり前すぎるものであってもかまわない。要は単語を文章にして、テーマ化・問題化することが重要なのである。そうして選択された今の自分に最もしっくりする問題をさらに具体化していくのである。これが「古墳時代の人々は、死んだら魂はどうなると考えていたのかを古墳と古墳の副葬品などから考える——現代の死生観と比較して」である。これを**収束作業**と呼ぼう。

　この収束が重要なのである。ブレーン・ストーミングもマインド・マップも拡散することには非常に向いているのだが、この収束作業が今ひとつという弱点がある。だがアカデミックなプレゼンテーションを前提にした時、この収束作業は欠かせない。どんな発想法を用いてもこの収束作業は必ずしよう。マインド・マップを用いた収束方法に言及した

本に先ほど挙げた『授業に生かすマインドマップ』がある。これには拡散した後、収束させることが重要であることが説かれており、マインド・マップでそれを実践したものである。

　発想法で重要なことをまとめておこう。それは一言で言うなら、**「拡散し、収束させよ」**ということだ。私たちは研究対象に私たちの経験を結びつけるためにさまざまな言葉を与える。これが拡散である。そして拡散した後は、そこから自分に最もしっくりした問いに狭めていくことをする。これが収束である。この相反する拡散と収束という行為を繰り返すことで、研究の対象に対して、具体的で狭められたテーマや問いを立てられるようになる。

ポイント！
・問いは、できるだけ狭く、具体的なものに設定しよう。
・発想がわかなかったら、思考を「拡散し、収束させる」訓練をしよう。
・代表的な発想法。
　　ブレーン・ストーミング
　　KJ法
　　マインド・マップ

---

3 | 助けて！　どうやって調べればいいの？

　プレゼンテーションのためのテーマや問いが決まると、次の作業は大きく分けて2つある。1つはテーマや問いに関わる**文献調査**や**フィールドワーク**である。もう1つはプレゼンテーションのための**アウトライン→発表用原稿の作成**である。これらはどちらが先というわけではない。2つ同時に行う人もいれば、アウトラインを決めてから調査を行う人もいる。あるいはある程度資料やデータを読み込んでからアウトラインを作成する人もいる。それは個人のスタイルでよい。ただこの調査とアウトラインはプレゼンテーションの準備では欠くことのできない要素であることは肝に銘じておいてほしい。

　ここでは、まず調査の仕方やコツを紹介し、次の章でアウトラインの作成について考えてみよう。

1　文献調査はなぜ必要なの？

　テーマや問いを思いついたら、そのテーマについての文献調査をする必要が出てくる。みなさんの計画しているこれからの調査が、アンケートやインタビューであってもまずは文献の調査をすることを薦める。なぜならばみなさんの行おうとしているアンケートと同じような調査がすでに大規模に、場合によってはすでに世界規模で行われていることもあり、クラスやサークルの仲間に呼びかけて行うよりも統計的に確かなものとして、そのデータを使用できるかもしれないからだ。

　ところで、なぜまずは文献を調査するのだろうか。それは自分の見つけたテーマや問いの正当性を検証し、テーマや問いを補強する必要があるからだ。思い出そう、私たちの作業は、「主観的観点」を出発点にして、それを「客観という理想」に近づけるものであった。前章では、この「主観的観点」を生み出す、個人の体験から「問い」を作り出し、それを「思いつき」「思い込み」でないものに仕上げることをした。それが

「客観という理想」への第一歩であった。それをもう一歩進めて、さらに「客観という理想」に近づくために文献調査が必要なのだ。文献調査によって、これから自分が論証しようとしているものがその研究の系譜に確かに位置づけられていることを示す必要があるのである。また自分の論証に必要なデータや証言を抽出し、自分の論を学問的に補強しなければならない。このためにも文献調査は必要なのである。

⦿自分の問いの正当性の証明

みなさんは「主観的視点」から「問い」を立て、「こんなことを考えるのは自分だけだろう」と考えるかもしれないし、時には「何と独創的な問いだろう」とちょっと得意になるかもしれない。しかしみなさんの考えたテーマや問いのほとんどはすでに先人によって考えられていると言っても過言ではない。だからといって自分の立てた問いがつまらないもの、凡庸なものだといって落ち込む必要もない。むしろ誰も思いつかなかったような問題を考え出そうなどと思わない方がよい。たぶんその問いは誰にも理解されないだろうから。誰かがすでに立てたテーマであったり、同じような問いであったりしても、それだけですでに十分に論証し尽くされていることはない。あなたの見つけたテーマや問いは数人の研究者で全て語り尽くされるようなことはないのである。

先人が立てた問いを軸にして、自分の問いが先人の問いを継承して、さらに発展させるものなのか、あるいは先人の問いに疑問を投げかけ、それに反論するものかをはっきりさせることで、堂々と学問の系譜の中に自分を位置づけよう。そう、自分の問いが、それまで提起された問題に対してどのような位置づけになっているかを確認するためにも文献を集めて、読み込むことが必要なのである。

⦿論証の補強

みなさんは問いを立て、それに対する仮説を提示し、それにそって論を組み立てていく。その時、自分が述べ、証明しようとしていることを補強する資料が必要になってくる。その際に重要なことは、できるだけ

客観的で正確な情報が掲載されている文献を探すということになる。客観的で正確な情報によって、自分が論証しようとしていることの正しさを補強するのである。

　一般に情報は、新しいものほど不正確な要素を含んでいる可能性があり、学術書として刊行された書籍に含まれる情報は正確と言われている。ある事件が起きたとしよう。みなさんはその事件を最初に知るのは、たぶんインターネット上のニュースであると思う。しかしその情報は事件が起きたということは教えてくれるが、全体像がどのようなもので、被害はどれくらいなのか不確かなままだ。たとえば、2019 年 10 月 12 日に台風 19 号が静岡県に上陸し、関東から福島県にかけて横断した結果、東日本の河川の多くが決壊した時のことを思い出そう。インターネット上では複数の河川が決壊したことを伝えていたが、それがどれくらいの規模なのか、被害はどれくらいなのか、犠牲者はどのくらいいるのかなどの情報は当然、詳細は分からないし、混乱している現場からの情報は時として誤ったものになっていた。これらの正確な数字がハッキリし始めるのは、翌日以降のニュースや新聞によってである。しかしそれでもさらに被害が拡大すれば、再び全容は把握できないものになり、実際、そうなった。

　事件・事象の全容や原因などが明確になった後で、それぞれの専門誌に学術的な論文が発表されるようになる。さらにその後、そうした論文をまとめた書籍が刊行されるようになる。学術論文や書籍のレベルにまでなると、かなり正確な情報が掲載されている。

　情報の新鮮さという点ではインターネット上の情報が最も新鮮である。しかしそこには不正確な情報やフェイクニュースも混じっていて、うかつに信じると足下をすくわれかねないものが含まれている可能性がある。うっかり論の根拠に用いたりすると危険であるので取り扱いには注意を要する。一方、学術書は事件や現象が起こってからかなりの時間を経過してから発表されるので、新鮮さという点はインターネットに比べものにならないほど落ちている。しかし情報の正確さ、客観的な評価という点ではインターネット上の速報とは違い、その精度は非常に高い。これ

らの情報を必要に応じて使い分けて、自分の論を補強していくことになる。注意してほしいのは、インターネット上の速報の類の記事が不正確でまったく無意味なものであると早合点してはならないことである。新しい情報は注意深く扱う必要があるということだけだ。

　一方、本で書かれてあることは情報としては正確で客観的なことが多いが、実際にはすでに古くなってしまった情報で、極端な場合、すでに使われなくなっていた情報であったり、それをもとに新たな説が唱えられていたりしていることもある。特に理系ではこの傾向が強く、最新でかつ正確・客観的な情報は、学術書ではなく、学術論文から得られることが多い。

2　本をどうやって探せばよいの？

　では実際に、こうした文献をどうやって手に入れたらよいのだろうか。みなさんは直観的に自分の大学の図書館を思い浮かべるはずだ。その判断は正しい。どの大学であっても、図書館は研究・学習の中核に位置づけられている。だからまずはみなさんは、自分の所属する大学の図書館で情報を収集しよう。どの大学でも、書籍・雑誌の検索に関しては検索システムが導入されているので、図書館や自分のパソコン、スマートフォンから検索システムにアクセスして図書を調べることができる。

　自分に必要でありそうな本がまだ分からないというのであれば、とりあえずキーワードで検索してみよう。すると自分の関心のあるテーマのキーワードが含まれている書名が一覧される。その中から必要と思われるものをピックアップして読んでみよう。ところで図書館に実際に行って、書架で自分の検索した本を見つけたら、貸し出し手続きをしておしまいとするのはもったいない。せっかくなのでその前後左右の本の背表紙を観察してみよう。すると検索では見つからなかったが、何だか自分のテーマに関係ありそうだなと思われる本がある場合がある。そうしたら、それも一緒に借り出そう。これをブラウジングといい、意外とこのブラウジングで重要な本が見つかることもある。

　借りてきた本で、まずチェックしておきたいところがある。一般に学

術書と言われるものは巻末に参考文献一覧が附されている。この参考文献一覧は必ず目を通すようにしよう。そもそも自分のテーマに近いと思って選んだ本なのであるから、その筆者が参考にした文献は、自分にも役立つ可能性が高い。参考文献一覧からさらに自分に必要そうな文献をピックアップして、それをさらに図書館の検索システムで検索して……、といったことを反復し、芋づる式に参考文献の数を増やしていこう。

　しかし、自分の大学だけで必要な情報が全てそろえば問題はないが、通常、それはありえないことで、必要な文献のうち、いくつかは自分の大学の図書館に所蔵されていないことの方が普通だ。その場合はどうすればよいだろうか。

図2　Webcat Plus ホームページ（webcatplus.nii.ac.jp/）より

1つは他大学の図書館が所蔵しているのであれば、それを閲覧することを考えよう。しかしインターネットでターゲットの本を所蔵していそうな大学の図書館に当たりをつけて、いちいち蔵書検索をするのは大変だ。全国の大学の図書館を横断的に検索してくれるシステムがあれば、時間を効率的に使えるのではないだろうか。こうした全国の大学の図書館の蔵書を横断的に検索してくれるのが、国立情報学研究所が開発した「**Webcat Plus**」（http://webcatplus.nii.ac.jp）だ。まずはこの Webcat Plus のサイトに行ってみよう（図2）。

　サイトに行くと、左上に連想検索と一致検索というタグがある。これからプレゼンテーションするテーマや問いは決めたが、そのテーマに関する文献をざっくりと調べてみたいという場合は、連想検索が有効だ。連想検索の画面になっていなかったら、連想検索のタグをクリックしよう。画面にある「文章から連想」というところにキーワードや文章を書き込んで、検索をしてみよう。たとえば「アカデミック・スキルズの学習法についての入門書」と入れてみよう。すると、「アカデミック・スキルズ」「学習法」「入門書」などのキーワードから関係すると思われる書籍を検索してくれる。この中から自分に参考になりそうなものを選んでいく。

　このうち『アカデミック・スキルズ』という本があるので、そこをクリックしてみよう。すると書誌情報が掲載された別画面が立ち上がる（図3）。いろいろな項目が記載されているが、このうち NCID という欄の隣にある登録番号をクリックしてみよう。今度は CiNii Books という別の画面が立ち上がる。そこにはこの『アカデミック・スキルズ』という本をどの大学の図書館が所蔵しているかの一覧が掲出されている。そこで自分の住んでいる近くの大学が所蔵しているようであれば、大学の図書館で紹介状を書いてもらい、資料を所蔵している大学で閲覧することができる。なお、この点に関しては大学によって多少手続きが異なってくると思うので、各自、図書館のレファレンスで、司書の人に尋ねてほしい。

　近所の公共図書館での所蔵を調べたいのであれば、Webcat Plus の書誌

アカデミック・スキルズ

佐藤望 編著；湯川武、横山千晶、近藤明彦 [著]

研究テーマの決め方は?レポート・論文の書き方は?アカデミック・スキルズとは、大学生のための学びの技法。研究テーマの決め方、情報の探し方、まとめ方、文章の書き方、プレゼンテーションのやり方などを具体的かつわかりやすく伝授する。

『BOOKデータベース』より

【目次】
・第1章 アカデミック・スキルズとは
・第2章 講義を聴いてノートを取る
・第3章 図書館とデータベースの使い方
・第4章 本を読む-クリティカル・リーディングの手法
・第5章 情報整理
・第6章 研究成果のアウトプット
・附録 書式の手引き(初級編)

『BOOKデータベース』より

この本の情報

書名	アカデミック・スキルズ
著作者等	佐藤 望 横山 千晶 湯川 武 近藤 明彦
書名ヨミ	アカデミック スキルズ：ダイガクセイ ノ タメノ チテキ ギホウ ニュウモン
書名別名	大学生のための知的技法入門
出版元	慶應義塾大学出版会
刊行年月	2006.10
ページ数	160p
大きさ	21cm
ISBN	4766413245
NCID	BA78821290 ※クリックでCiNii Booksを表示
全国書誌番号	21230203 ※クリックで国立国会図書館サーチを表示
言語	日本語
出版国	日本

この本を：[書棚を選択して下さい ◇] (に入れる)

(⊕ チェック)

図3

情報が掲載された画面の右上にある「外部サイトで検索」の欄にある「カーリル」から検索してみよう。

また本の題名は分かっているが、それが自分の大学に蔵書されていないので、その蔵書状況を調べるということも考えられる。というよりもそうした場合のことの方が多いかもしれない。その時はWebcat Plusの「一致検索」を使おう。要領は一緒で、「フリーワードで一致検索」のと

ころに書名を入れて検索をすると、一致した書名を掲出してくれる。それをクリックすると先ほどと同じ書誌情報の画面が立ち上がるので、後は同じ手順で蔵書先を調べればよい。

3 雑誌論文はどうやって見つければよいの？

ところでWebcat Plusや「カーリル」で検索できるのは、書籍だけだ。もちろん学術論文が掲載されている学術誌や大学の紀要論文集などの雑誌名は検索できる。しかし学術論文の論文検索はできない。そしてみなさんがほしいのは、実は論文なのだ。その場合には「**CiNii 日本の論文をさがす**」（https://ci.nii.ac.jp/）を利用しよう。これは日本の学術誌や大学の紀要、それから商業誌に掲載された論文・記事等を横断的に検索してくれるスグレものである。

上記のサイトにアクセスすると、論文名、著者名などで検索できるようになっている。たとえば論文検索で、筆者の専門であるフランス19世紀の詩人マラルメという人物に関する論文を調べたいと思ったら、「論文検索」で「マラルメ」と入力して検索してみよう。そうするとタイトルなどにマラルメという語が含まれる論文を一覧してくれる。ここではそのうち馬越洋平氏の「『アナトールの墓』から『エロディアードの婚礼へ』――マラルメの創造の源を探る」という題名をクリックしてみよう。すると書誌情報が現れる。この中に「**機関リポジトリ**」というものがある。ここをクリックすると、この論文の本文がPDFでダウンロードできたり、画面上で閲覧できるようになる。

また「機関リポジトリ」にならんで「**J-Stage**」という欄がある場合がある。こちらもクリックすると、本文をPDFでダウンロードできる画面に移動してくれる。

もし上記の2つの項目がない場合は、画面下方に今検索した論文が、何の雑誌に掲載されていたかという書誌情報が掲載されているので、それを確認しよう。そしてもしCiNii booksという項目があったら、クリックしてみよう。すると先ほど書籍を検索した時と同じ画面が現れ、所蔵している大学の図書館が一覧できるようになっている。この情報をもと

に図書館で紹介状を発行してもらったり、コピーを取り寄せる手続きをしたりして、文献を入手することになる。

　これ以外にみなさんに役立つと思われるのは、まずは**国立国会図書館**（https://www.ndl.go.jp/）のサイトである。日本には納本制度というのがあり、日本で刊行された本はたとえ自費出版や同人誌であっても、国会図書館に納本しなければならないことになっている。そのため国会図書館には日本で刊行された書籍が全て収蔵されていることになっている。もしどの図書館で探しても見つからなかった場合は、国会図書館も探してみよう。

　またみなさんの所属している大学が各種データベースの利用契約を結んでいるのであれば、便利なサイトがそこに含まれているはずだ。社会科学や歴史学の研究では、過去の新聞を検索することが多いだろう。例えば朝日新聞のデータベース「**聞蔵Ⅱ**」や読売新聞のデータベース「**ヨミダス**」などは、創刊以来の新聞記事を横断的にキーワード検索ができるので便利だ。また大宅壮一文庫とも契約していれば、**大宅壮一文庫**（https://www.oya-bunko.or.jp/）が所蔵している雑誌も検索できる。ノンフィクション作家だった大宅壮一の蔵書がもとになっているが、今では戦後のあらゆる雑誌をカバーするものとなっている。戦後の生活史やファッション史、芸能史などの分析を考えている場合、「ハマカジ」や「竹の子族」などの雑誌の見出し語を検索ができ、戦後の社会風俗を扱った記事を網羅的に収集できるので、便利である（ただし本文は閲覧できない）。これらのデータベースをみなさんの大学が契約しているのであれば、使わない手はないので、ぜひ有効活用しよう。また多くの大学は電子ジャーナルや論文データベースなどとも契約しているので、日本語以外の英語などで書かれた論文も検索でき、海外の文献も検索することができる。一度、図書館のデータベースを確認しておくとよいのではないだろうか。

　ところで人文科学や社会科学などの分野では、所謂古典と呼ばれる文献をテキストにしなければならないことがある。もちろんそれぞれの分

野で権威となっているテキストがあるので、それを使用すべきであるが、とりあえず調べたい時に便利なのが、日本の古典では「**青空文庫**」（https://www.aozora.gr.jp/）である。現在も作品数が増え続けているが、日本の近代以降の著作権の切れた文学作品が多数登録されている。

外国語で書かれた古典文献については、現在では相当数、インターネット上で本文を読めるようになっているので、こちらも必要に応じて活用しよう。かつてはグーテンベルク計画などがあって、電子化を一元的に進めていたが、現在では世界中、特にアメリカの大学で、古典や著作権の切れた作品を電子化し、データベース化をすることが盛んに行われているので、とりあえず検索サイトでキーワードを入れて検索してみよう。たとえば17世紀の哲学者ルネ・デカルトの原文が入手したくなった場合、「Descartes text」とキーワードを入れてインターネットで検索してみよう。すると膨大な数のテキスト・データベースがヒットする。

また社会科学系の研究では、政府・省庁などが刊行する白書・統計などが必要になってくることもあるだろう。白書・統計であれば、「電子政府の窓口　e-Gov」などが便利だろう。ここでは各種白書・青書、統計データなどがまとめてあるので、必要なものを探しやすいだろう。

4　本や雑誌を入手するにはどうしたらよいの？

さて最後に本を購入することを考えてみよう。首都圏や大都市圏に住んでいれば大規模書店もあるので、そこに行けば学術書・専門書を購入することは容易であるが、そうでない場合は学術書・専門書を入手するのは難しいだろう。だがすでにみなさんは、インターネットの書籍の通信販売を利用するのが当たり前になっていると思うので、大都市圏とそうでない地域との格差はかつてほど大きいものではなくなった。

インターネット上の新刊本の通販サイトはここで紹介するまでもなく、みなさんよく知っていると思うので、省略しよう。問題はもう入手できなくなってしまった本を手に入れる方法である。おそらく日本で最も規模の大きい古書店のサイトは「**日本の古本屋**」（https://www.kosho.or.jp/）であろう。このサイトでは登録されている日本中の古書店の目録

を横断的に検索してくれる。

　一方、洋書に関してであるが、かつては洋書を入手するのは大変だったが、インターネットの普及のおかげで、かなり入手しやすくなり、かつ身近なものになってきた。ただ洋書の販売サイトもたくさんあり、どのサイトを使用したらよいか迷ってしまうことも多い。筆書が薦めるのは「**BookFinder.com**」（https://www.bookfinder.com）というサイトだ。欧文で書かれた書籍ということが前提だが、このサイトは世界中の書店、古書店を横断的に検索してくれる非常に優れたものである。国によってレートが異なるし、古書店によっても価格は異なってくるが、このサイトでは価格を日本円で表示してくれる機能がついているので、簡単に比較ができ、場合によるとかなり安い金額で目当ての本を入手できることもある。洋書が必要になった時は、ぜひ一度ここで検索してみてほしい。

　ここでは主にインターネットを使って文献を収集するコツを書いてきたが、さらに詳しいことを知りたければ、本書のシリーズにある『アカデミック・スキルズ　資料検索入門──レポート・論文を書くために』（市古みどり編著、上岡真紀子、保坂睦著、慶應義塾大学出版会、2014年）を参照してほしい。

　また、たとえば社会調査などをもとにした研究を考えている人がいるかもしれない。筆者は人文科学系なので、社会調査等のノウハウは持っていないので、これも本書のシリーズにある『アカデミック・スキルズ　データ収集・分析入門──社会を効果的に読み解く方法』（西山敏樹、鈴木亮子、大西幸周著、慶應義塾大学出版会、2013年）を参照して、実践してもらえればと思う。

5　どんな本を読めばよいのだろう

　さて、こうして文献や資料を入手することができた。でもいろいろ図書館やインターネットを使って集めた資料だが、それをどう読みこなせばよいだろうか。次のケースを見てみよう。

　D君は、ニーチェの『善悪の彼岸』をテクストにして何かプレゼンテーションをしようと思っていた。しかしまだ具体的にはどういう切り口で論を組み立てるのかということはまとまっていなかったので、とりあえずニーチェについて書かれた本を集めてみようと思った。大学の図書館や近くの図書館で借りてきた本は次のようなものだ。

・ニーチェ『ニーチェ全集11　善悪の彼岸　道徳の系譜』（ちくま学芸文庫）、筑摩書房、1993年
・竹田青嗣『ニーチェ入門』（ちくま新書）、筑摩書房、1994年
・中島義道『善人ほど悪い奴はいない　ニーチェの人間学』（角川Oneテーマ21）、角川書店、2014年
・カール・ヤスパース『ニーチェ　彼の〈哲学すること〉の理解への導き』（佐藤真理人訳）、月曜社、2019年。
・ジル・ドゥルーズ『ニーチェと哲学』（江川隆男訳）、河出書房新社、2008年
・ニーチェ『日めくり ニーチェ』夜間飛行、2015年
・ニーチェ『まんがで分かる！　ニーチェの哲学』イースト・プレス、2016年

D君は、どれから読み出そうか、迷っていた……。

　さて、問題だ。D君は選んだ本をどの順番で読めばよいだろうか。もしD君がまだ『善悪の彼岸』を読んでいなかったら、テキストにするものをまず読むべきだろう。このようなテキストになる文献を一次資料という。またテキストを書いた作者が書いたノート、メモ、書簡、日記なども場合によっては一次資料の扱いを受ける。一方、テキストを使って書かれた文献や資料は二次資料と呼ばれる。
　ところで一次資料のテキストを少し読んでみたものの、何が書いてあるのかさっぱり分からないようであれば、一旦、読むのを中断し、入門

書を読む方がよいだろう。特に哲学関係は、日常では使用しない特殊な術語、独特の言い回しがあるので、そういった術語に関する基礎知識がなければ、意味が分からないことが多い。そうであれば、入門書でそうした基礎知識を習得した方がよいだろう。D君が集めた文献の中では、入門書は竹田青嗣の『ニーチェ入門』と『まんがで分かる！　ニーチェの哲学』であろう。おそらく『まんがで分かる！　ニーチェの哲学』の方が分かりやすいと思われる。最初はこちらから読んで一向にかまわないが、この手のものは分かりやすくなっている分、複雑な議論を要するものをいささか単純化して説明してしまう傾向があったり、基本的な概念の知識が誤っていたりするので気をつけよう。もちろんこの本がそうだとは言わないし、この手の本が、取っかかりとしてはよいことは認めるが、やはり専門家あるいは専門に近い人物が書いた入門用の本を読んでおいた方が賢明である。マンガに比べると、内容が難しくなっている可能性があるが、少し手応えがあった方が、その後でテキストを読み直すと理解が進むはずだ。その上で関連する書籍などに手を広げていくとよいだろう。

　D君はまだテーマが絞れていないので、選んだ文献もニーチェ全体を論じたものや概論的なものが多いが、こうした読書経験を積んでいくうちに、自分のテーマが見つかり、絞り込んでいくことができるようになる。そうすると、自分に必要な学術書、学術論文に目を通す必要も感じてくるはずだ。

　おそらくD君が集めた文献で、プレゼンテーションに直接関わらないと思われるのが、『日めくりニーチェ』であろう。これはニーチェの名言集であるので、自分の論を補強するのに必要なものはないと考えられる。こうしたことは慣れてくるとこの本は使えない、この本は有効だ、などとすぐに分かるようになってくる。そのカンを磨くには、文献調査を何度も繰り返すしかない。

　また文献を読んだり、調べたりした際は、記録を取ってデータベースを作っておくとよいだろう。ここでは紙幅の関係で論じられないが、詳しくは『アカデミック・スキルズ　第3版——大学生のための知的技法

入門』や拙著『アカデミック・スキルズ　クリティカル・リーディング
入門——人文系のための読書レッスン』（慶應義塾大学出版会、2015 年）
を参照してほしい。

ポイント！
・文献や資料探しは、研究の基本。以下のようなところからまずは情報
　を収集しよう。
　Webcat Plus　http://webcatplus.nii.ac.jp
　CiNii books　https://ci.nii.ac.jp/books/
　カーリル　https://calil.jp
　CiNii　日本の論文を探す https://ci.nii.ac.jp
　J-Stage　https://www.jst.go/browse/jp/
　国立国会図書館　https://www.ndl.go.jp
　青空文庫　https://www.aozora.gr.jp
　電子政府の総合窓口
　　https://www.egov.go.jp/publication/white_papers.html
　日本の古本屋　http://www.kosho.or.jp/servlet/top
　Bookfinder　https://www.bookfinder.com/

・どの本を読んでもいいというわけではない。自分のプレゼンテーショ
　ンに適切な本を選ぶカンを磨こう。

4 | 考えたことをまとめろと言われても……

　資料検索と資料の読み込みと並行して、プレゼンテーション用のアウトラインも作らなければならない。つまり考えたり、調べたりしたことを1つの論にまとめ上げていく作業だ。

　このアウトライン作りで気をつけねばならないことは、論理的であるということだ。論理的であれば、聴いている相手が理解し納得してくれるということだ。アカデミックなプレゼンテーションは、**論理的であること**が必要である。そこでアウトラインの作り方を説明する前に、論理的に考えるとはどういうことかを考えてみよう。

　聴いている相手が理解し、納得してくれるための論理の型というものがある。筆者は論理学を専門としないが、代表的な型を4つ紹介しよう。

　　・AはBである。
　　・A、B、C……なので、Dである。
　　・AがBなのは、Cが前提でないと成り立たない。
　　・AがBなのは、CがDであるのと似ているからだ。

　この4つの型を単独で用いたり、組み合わせたりして論を構築することを考えてみよう。まずはこの4つの型がどういうものか、見てみよう。

1　AはBである

　これはAということが成立するには、Bである必要があるという形である。Bは、一般的・普遍的な前提であり、ここから個別的な、あるいは特殊な結論を導き出す型である。Bに該当するものは、すでに検証する必要のないもので、「太陽は東から昇る」でも「1＋1＝2」でもよいし、「三角形の内角の和は180度である」でも、「平行線は交わらない」

でも、「日本語では『私』は一人称の単数のことである」でもよい。こうした自明のことや経験的に正しいことが個別の現象Aに当てはまった場合、Aは絶対に正しいことになる。これはアリストテレスの論理学以来、用いられている論理の基本中の基本といってもよいだろう。この型の特徴は、正しい前提となるものが現象に先立ってあり、その前提に個別の現象が当てはまるかどうかを検証するものである。

　アリストテレスはこれを発展させて、三段論法というものを体系化した。有名な例であれば、次のようなものである。

　① すべての人間は死ぬ。
　② ソクラテスは人間である。
　③ ゆえにソクラテスは死ぬ。

　論理学では、①を大前提という。②を小前提という。③は結論である。大前提では、③の結論で述語になる概念を示し、小前提では結論で主語となる概念を示し、結論でこれらを組み合わせることになる。大前提で語られていることも、小前提で語られていることも普遍的な事柄で、検証する必要のない正しいものである。これらを組み合わせて導き出された結論は、やはり正しいということになる。

　このパターンの弱点は、そもそも前提が間違っていた場合、論理そのものが破綻してしまうことである。たとえば「三角形の内角の和は180度である」や「平行線は交わらない」などは、ユークリッド幾何学と呼ばれるもので、日常生活をする上ではそれで十分なのだが、非ユークリッド幾何学の立場に立つと、これらは破綻してしまう。非ユークリッド幾何学では平行線は引けないし、三角形の内角の和は180度より大きくなってしまう。そのため非ユークリッド幾何学に立った場合、ユークリッド幾何学を前提にした命題や普遍的な概念は誤りということになって、論理そのものが破綻してしまう。

2　A、B、C……なので、Dである

　1の型は、前提とするものが現象に先行してあるもので、前提に個々の現象を当てはめるものだったが、この2の型は、前提を現象から導き出すものといえる。これは複数の事例から、そこに共通するものを見つけ出す方法だ。たとえばこうだ。

　①　ソクラテスは死ぬ。
　②　プラトンは死ぬ。
　③　アリストテレスは死ぬ。
　④　故に人間は死ぬものである。

　常識的に考えてほしいのだが、この場合、ソクラテスもプラトンもアリストテレスも犬や猫の名前でも、モノやシステムの名称でもなく、人間の名前である。ソクラテスという人間が死んだ、プラトンという人間も死んだ、アリストテレスという人間も死んだということから、人間は死ぬものなのだということを導き出すのである。1の型は、人間は死ぬという普遍的なことが前提としてあったのだが、2の型は列挙された個々の現象からこれらに共通する前提を抽出することになる。これは日常的にもよく行っているものだ。たとえば筆者は、大学では、昼食は11時30分に食べる。授業が12時15分に終了すると、食堂は学生で大混雑することを経験的に知っているので、「今日も12時15分過ぎに食堂に行ったら、混雑していて席が見つからないかもしれない」と判断して、それより早く食事に出かける。過去に何回も12時15分過ぎに食堂に行って、席がない経験をしているので、そこから12時15分過ぎは混雑して席が見つからないという結果を抽出しているのである。
　しかし、これは注意を要する型でもある。次のケースは「七面鳥の寓話」とも呼ばれる有名な話で、一説によれば有名な哲学者で数学者でもあったバートランド・ラッセルが作ったとも言われるが、この型の危険性をよく表している。

　ある七面鳥が毎日9時に餌を与えられていた。それは、あたたかな日にも寒い日にも雨の日にも晴れの日にも9時であることが観察された。そこでこの七面鳥はついにそれを一般化し、餌は9時になると出てくるという法則を確立した。

　そして、クリスマスの前日、9時が近くなった時、七面鳥は餌が出てくると思い喜んだが、餌を与えられることはなく、かわりに首を切られてしまった。

　読んだことがないだろうか。試しにインターネットで検索してみるとたくさん出てくる。上記の文章も、みなさんがしばしば利用する「Wikipedia」に書き込まれた記述だ。このエピソードに2の型の落とし穴がある。七面鳥は、毎日の経験から9時には餌がもらえるという法則を導き出したが、最後は餌をもらえることなく、首を切られて、クリスマスのローストになってしまったというものだ。七面鳥は判断を間違ったことになる。つまり、この型は1つでも例外が生じると、法則全体が崩壊してしまうことを教えてくれている。そう、この2の型は、経験や観察や実験から、「どうやらそうらしい」と言うことはできるが、この判断が絶対的に正しいと言うことは保証してくれないのだ。1つでも違う事例が出てきてしまえば、あなたが頑張って作った法則やルールは破綻してしまうのだ。12時15分に食堂に行ったら、がらがらだったりすることがあるかもしれない。そうしたら12時15分過ぎは混雑していて席も見つけられないという筆者の作ったマイ・ルールは破綻する。

3　AがBなのは、Cが前提でないと成り立たない

　これはまず、例を出そう。

　筆者は、神奈川県横浜市の日吉にある大学のキャンパスに勤めて

いる。この日吉キャンパス全体は丘陵地にあり、その東端が丘陵地全体の突端になっている。日吉キャンパスより東側は平坦な平野になっていて、その先に川崎の市街地が拡がり、さらにその先は東京湾である。東京湾まで距離にして8キロぐらいだろうか。ところで日吉キャンパスやその一帯は先ほど述べたように丘陵地になっているのだが、実は縄文時代の貝塚が多数点在している。貝塚からはいずれも淡水の魚貝ではなく、海水に棲むハマグリなどの貝殻やタイなどの魚の骨が見つかっている。このことから考えられるのは、縄文時代は海面が今より上昇しており、今の海岸線よりも8キロも奥まった日吉まで海で、日吉キャンパスの東端は岬だった可能性が高いということである。

この文章は、「内陸の日吉で海の魚貝をふんだんに含んだ貝塚が発見されるのは、縄文時代は、日吉まで海であったからだろう」ということを物語っている。しかしタイムマシンに乗って縄文時代に行って実際に自分の目で検証できるのは、小説やマンガだけの世界で、私たちは縄文時代、日吉まで海だったということをこの目で確かめることはできない。だから「内陸である日吉から多数の貝塚が発見される」という事実から、「それはかつてここが海だったからだろう」という仮説を組み立てるのである。

この「内陸である日吉から多数の貝塚が発見される」が「AがBである」にあたり、「縄文時代は日吉まで海だった」という仮説がCである。こうして実際には検証できないが、「AはBである」ということが成立するにはCという前提がなければならないという結論が導き出せる。つまり「AがBである」という事実から仮説を作り出すのがこの3の型だ。ちなみにこの「日吉まで海だった」という仮説は考古学的には信頼性の高いもので、縄文海進によって関東平野のほとんどは海であった時代があったとされている。

もちろんこの型にも弱点がある。2の型と同じように結論の正しさが保証されていないのだ。「きっとそうだ」とは言えても、「絶対にそうだ」

とは言えないのだ。日吉の例では、実際には、すでに考古学的には安定した学説になっているので、ほぼ間違いないことだが、実は縄文時代には高度な輸送技術と保存方法があって、交易により海産物が内陸まで運ばれていたなどという可能性がまったくないわけではない。もしこうした可能性が本当に証明されてしまったら、全てもう一度検証し直す必要がでてきてしまうかもしれない。

4　AがBなのは、CがDであるのと似ているからだ

　上の文を読んで何だか怪しそうと思った人がいるかもしれないが、次のような作業は中学校の数学授業でやっているのではないだろうか。

　2：4 = X：6

　ここからXを導き出せと言われれば、みなさんは3という数字を即答するだろう。そうこれは比の問題だ。これが4のパターンである。X：6の関係は、2：4の関係に類似するので、Xを導き出せるように、類似関係から判断を導き出すものである。

　たとえば、「ヨーロッパと非ヨーロッパの関係は男と女の関係のようであり、ヨーロッパは男性的で、理知的、能動的なのに対し、非ヨーロッパは女性的で、感性的、受動的である」などと述べるのがそうである。一読して分かるように、突っ込みどころが満載の文で「何だこれは！」と怒った人もいるかもしれない。実はこれはアメリカの哲学者エドワード・W・サイードが『オリエンタリズム』という著書で、ヨーロッパが非ヨーロッパ圏をかつてどのように見て、自分たちを自己規定し、植民地支配を正当化したかを論じるにあたって提示した図式なのである。ヨーロッパと非ヨーロッパの関係は、男女関係とは本来、関係ないのであるが、そこに類似による関係を設定したことで、帝国主義時代の男女のステレオタイプのイメージが、ヨーロッパと非ヨーロッパのイメージに当てはまるようになったのである。

　このパターンにも弱点がある。やはり結論が正しいことが保証されないことであり、それは2や3の型と同じである。

ところで今述べてきた4つのパターンであるが、これは論理学に基づいているもので、1は**演繹**、2は**列挙的帰納（狭義の帰納）**、3は**仮説形成**、4は**類比**と呼ばれているものにだいたい相当する。さらに言えば、2と3と4をあわせて広義の帰納ともいう。1の演繹、2と3と4をあわせた帰納は、実は、それぞれ論証に向き不向きがある。

　1の演繹型の場合、Bの前提となるものは正しいもので、その正しい前提であれば、それが当てはまるAという現象も間違いなく正しいというものであった。だから**「正しい」ことを証明するのにはとても向いている**。しかしここには「独創的な」や「新しい」視点といったものが入り込む余地はない。AにBでないことが含まれる結論になってしまったら、これは論理が破綻してしまうのである。この1の演繹型は、**「新しいもの」をつけ加えるのには向いていない**わけだ。

　一方、これまで私たちに与えられている情報に対し、新しいものをつけ加えられるのは、2や3や4の広義の帰納である。これはそれまでになかった新しいものを生み出し、おそらく正しいだろうということを証明するものだ。だからこの**帰納は、これまでのものに新しいものを付加することは得意だ**。しかし残念ながら、生み出された新しいものが絶対に正しいかといえば、それを保証してくれるものはない。むしろたまたまそれを破綻に追い込むものが見つかっていないだけで、実に不安定な立場にいるとも言える。だから**「正しさ」を証明するには不向きな型なのである**。

　ここで、なるほどと思って、そうかプレゼンテーションのために論を組み立て、アウトラインを作るのなら、広義の帰納を使った方が、誰も言っていないことを言えそうで、独創的だし、格好よさそうと思って、安易に帰納に飛びつくのは危険だ。何しろ、正しさを保証するものが脆弱なので、いつ自分の組み立てたものが転覆するか分からないのだから。たった1つの質問で、すべてが破壊されることもあるということだ……。

　アウトラインの理想は、この演繹と広義の帰納をうまく組み合わせて構築して、独創的で新しく、かつ正しさも一定程度保証される堅牢な論を構築できるようなものである。そんな夢のようなものはあるのだろう

か。あるのである！　そうしたモデルの１つを紹介しよう。

5　仮説演繹法

　何やら厳めしい名前のものが登場してきたが、これを説明するには、やはり最初に歴史的な物語を紹介した方が早そうだ。

> ### ケース7
>
> 　19世紀ウィーンで活躍した医師にゼンメルヴァイスという医師がいた。彼の勤める病院では出産後、母親が産褥熱にかかって死亡するケースが多かった。そのことにゼンメルヴァイスは悩んでいた。一方、同じ病院での出産でも助産婦が赤ちゃんを取り上げていた別の病棟では、母親が産褥熱に罹患する率は低く、死亡する例も少なかった。つまり医師が出産に立ち会うケースは死亡例が多く、助産婦が立ち会うケースでは死亡例が少ないということである。さらに産褥熱で死亡した女性を解剖した際、刺し傷などを作った医師も、同じ産褥熱に罹った。助産婦は解剖には関わらないが、医師は出産にも解剖にも関わっている。このことからゼンメルヴァイスは死体に含まれている何らかの物質が、医師を介して妊婦の体内に入ると産褥熱に罹るのではないかと仮説を立てたのである。
>
> 　そこでゼンメルヴァイスは、お産に立ち会う前に医師が手を消毒すれば、産褥熱の発生率は低くなると考え、病院の医師にお産の前には必ず手を洗うようにし指示し、それを実行させた。そして手を洗うようになってから、産褥熱の発生は明らかに低減した。

　ゼンメルヴァイスはこのことから消毒法の先駆者として「母親たちの救世主」とも呼ばれているそうだが、この一連の過程が典型的な仮説演繹法で、その例としてよく取り上げられる。筆者はこれを私淑する戸田山和久さんの『科学哲学の冒険──サイエンスの目的と方法をさぐる』（NHK出版、2005年）で見つけたので、ここでは戸田山さんに従って説明しようと思う。

ゼンメルヴァイスは、医師は出産と産褥熱で死亡した女性の解剖の両方に関わっているが、助産婦は出産にしか立ち会っていない。そこから死体に含まれる何らかの物質が医師を介して体内に入ると産褥熱を発症すると仮説を立てた。これは**現象からその現象を引き起こす条件や前提を推論する**3の「仮説形成」の型だ。

　この仮説に対してお産に立ち会う前によく手を洗えば、産褥熱の発生が低くなるのではと考えた。この仮説から帰結するものを論理学の用語で「予言」という。この仮説と「予言」の関係は、**仮説が正しければ、予言もまた正しいという関係にあることだ。**この関係は何かといえば、1の演繹の型だ。そして実際、これが正しいかを確かめるために、医師にお産の前には手を洗うよう指示して試してみた。これが仮説演繹法である。要するに帰納によって仮説を形成し、それを演繹で証明することである。

　ここで提示した仮説演繹法は次のような思考回路で動いていると整理できるだろう。この思考回路を戸田山さんが作ったものをもとに作成した図で示すと次のようになる。

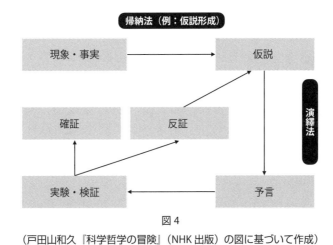

図4

（戸田山和久『科学哲学の冒険』（NHK出版）の図に基づいて作成）

　この仮説演繹法を用いると、新しいことを付け加えた上で、その正しさも証明することができる。もちろんこういった独創的なものを提示し

た上で、その正しさを証明する型は、ほかにもいくつかあるが、プレゼンテーション初心者のみなさんにはこの仮説演繹法が扱いやすいのではないだろうか。もしほかの型が気になるのであれば、論理学の本を読んでみるとよいだろう。

　でも「これは自然科学の分野、数学・物理などで可能で、人文科学では無理じゃないの？」と内心思っている人もいるだろう。では次のEさんの例を見て、果たして人文科学でも応用できるか考えてみよう。

ケース8

　Eさんは、夏目漱石が大好きなので、大学の総合教育科目で「文学」の授業を履修していた。日本の近代文学の作家を概観する授業で前期は夏目漱石が対象だった。それで履修したのだが、履修者が少なかったこともあって担当教員から「定期試験の代わりに各人で漱石作品を分析して発表してもらい、それで成績評価にしよう」と6月の半ばに言われた。Eさんはそれからどんな作品を使って、どんなプレゼンテーションをしようかとあれこれ考えるようになった。

　久しぶりにEさんは『坊っちゃん』を読んで、「相変わらず主人公は竹を割ったような性格で気持ちいいなあ」などと思っていたのだが、「あれ、この竹を割ったような性格の印象をもたらしているのは文体かもしれない」とふと思った。すると、いてもたってもいられず、漱石のほかの作品と比較してみようという気になってきた。あまり執筆時期が離れていない『三四郎』を読んでみると、やはり何か印象が違う。2つの作品を見比べているうちに「あれ」と思ったことがあった。『坊っちゃん』は何だか接続詞が少ない気がする。そこで「それに」「しかし」「けれども」「ところが」「にもかかわらず」「要するに」「つまり」「すなわち」「たとえば」「したがって」「それなら」「それから」「それも」「あるいは」「ただし」「さて」の使用頻度を比較してみることにした。すると案の定、『坊っちゃん』は接続詞が出現する頻度が低く、『三四郎』は高いという結果になった。そこでEさんは、『坊っちゃん』と『三四郎』のあいだに

漱石の中で何か思想的な断絶、あるいは転換があったのではないかと考えた。それはなぜと自問自答して、Eさんは接続詞が多く使われるのは近代になってからで、近代以前は接続詞の使用は少なかったといったようなことを谷崎潤一郎が『文章読本』で言っていたのを思い出し、『坊っちゃん』までの作品は、江戸の戯作文学の名残を止めているが、『三四郎』以降、初めて近代文学になったのではないだろうかと考えた。近代文学とは個人の内面や思考を読者に明確に説明するものである、ととりあえず定義し、接続詞は個人の感情や考えを何となく共感で伝えるのではなく、論理的に説明するものとして必要な道具だったはず、そこで近代文学の作品であるために『三四郎』以降は、おのずと接続詞が頻繁に使われるようになった、と考えた（←これが「仮説形成」の部分）。

　そこでこの断絶線を確定するために『坊っちゃん』（1906）と『三四郎』（1908）前後の漱石作品の接続詞の数を同じように調べてみることにした。対象にしたのは、『坊っちゃん』と『三四郎』のほかに『吾輩ハ猫デアル（上）』（1905）、『草枕』（1906）、『虞美人草』（1907）、『それから』（1909）であった。もう少し増やしたかったが、時間がなかったのでこれくらいにとどめた。Eさんは、『虞美人草』あたりを境にして、接続詞が増加するはずであると予想をした（←これが「予言」の部分、そしてそれを実際に検証し、仮説と予言が正しい関係にあるか見ていくことになる）。

　さてEさんが分析してみると、少し、意外な結果が出た。確かに『草枕』は接続詞は少なかったが、『虞美人草』は、そこまでとは言えないような気がした。そして決定的に「困った」と唸ってしまったのは、『それから』は「しかし」「それから」という接続詞はそれなりの数が使われていたが、全体に接続詞の使用頻度は、『三四郎』よりも少なく、『坊っちゃん』と同じくらいだった。Eさんは『草枕』と『虞美人草』の間で線を引き、漱石の意識の変化をそこに読み取ろうとしていたが、『虞美人草』よりも後に書かれた『それから』の方が接続詞の使用頻度が少ないとなると、論は成立しなくな

る……（←これが「予言」を検証した結果）。

　ここでは、帰納の一種、「仮説形成」で「仮説」を形成し、その仮説の正しさを検証するために「予言」を設定し、検証をしている。このように数学や物理だけでなく、あるいは検証に実験や社会調査を伴わない文学であっても帰納と演繹を使って、これまでの情報に「新しい」ことを付加した上で、それが「正しい」かどうかも確認できるのである。もっともこの場合、残念ながら検証の結果、予言は正しくないことになってしまったが。この予言が正しくないことを証明すること、あるいは証明してしまったことを「反証」ということは覚えておこう。

　しかし仮説→予言が間違っていたとしても、落ち込む必要もなければ、諦める必要もない。少なくとも「仮説」が間違っていたことは正しく証明されたのだから。では、これからEさんが行うことは何かというと、なぜ『坊っちゃん』の方が『三四郎』に比べて接続詞が少ないのかという問いに対する仮説を作り直し、そこから導き出せる予言を新たに考えるということになる。そしてそれを検証して、また正しくなければ、仮説を形成し直し……という作業を繰り返すことになる。さてEさんがここからどう新たな仮説を形成したのか、それは後のお楽しみとしよう（「附録」153ページ以下参照）。

　こうして何度も思考訓練をして、何か1つのものがまとまってきて、次のアウトラインの作成に移れるのだ。

ポイント！
・論理の型は大きく4つ。
　　演繹
　　列挙的帰納
　　仮説形成
　　類比
・これらを組み合わせたものに「仮説演繹法」がある。

---

5 ‖ アウトプットって、どうすりゃいいの?

　今まではどちらかと言うと自分の頭の中を整理して、まとめるという思考作業だったが、これからいよいよ、その頭の中でまとめたものを誰かに報告し、理解・納得してもらうための作業になってくる。つまりアウトプットに向けての作業だ。最終的にプレゼンテーションという形に落とし込むのだが、ただやみくもに作業をすればよいというわけではない。まずは聴いている人が分かるようにするために設計図を作ることから始めねばならない。それがアウトラインと言われるものだ。これに資料検索で探した文献やデータを肉付けして発表用の原稿を作ることになる。この章では、まずはアウトラインについて、次いで発表用の原稿作成の上での注意点について考えてみよう。

　ところでアカデミックなプレゼンテーションと論文は、もちろん似ている。だから、プレゼンテーションの後で評価されたら、それを論文にすることもできるし、その逆も成り立つ。しかし、ではたとえば論文の文章をそのまま読み上げれば、それでよいのかと言えば、それは違ってくる。そのことを踏まえた上で、まずはアウトラインを作る際に、考慮しておかなければならないことを見てみよう。

1　誰がプレゼンテーションを聴いているか、分かってる?

　最初に考えなければならないのは、**聴衆**だ。自分がどんなところでプレゼンテーションするのか、改めて確認しておこう。授業で書評レポートの発表をするのか、卒業論文の中間発表なのか、プレゼンテーションの何かのコンペティションなのか、あるいは(みなさんの立場ではありえないかもしれないが)学会で発表するのか、それを確認しよう。

　たとえば、日本の近世史が専門の先生がずらりと並んでいる中で発表する時を考えてみよう。この時、発表者のF君が「1603年に徳川家康という武将が、江戸に幕府を開きました。幕府というのは、今で言う政府

のことです」などと説明する必要はないだろうし、もしそんな発表をしたら、失笑されるか不快な顔をされるかだろう。逆に経済学部の1年生しかいない会場で、「アリストテレスの質料形相論は形相がどんどん増大していってしまうという点で素朴だと批判されるが、それに対し、トマス・アクィナスは、1つの個物には1つの形相しかないと主張しました」といった発表をした場合、会場の聴衆のほとんどは、ほどなくして寝ているかスマホをいじっていることになるだろう。

　何が問題なのかは分かるだろう。自分のプレゼンテーションを聞いている**聴衆の知識やニーズのレベルにあわせて、発表内容を仕上げていく必要がある**ということだ。日本史の専門家を前に「幕府とは何ぞや」と通り一遍の説明をしたり、哲学的な知識がほとんどないと思われる聴衆を前に、哲学の術語を説明なしに使用したりすることは、聴衆のことを考えていないと言える。そう、プレゼンテーションで重要なのは、**聴衆との関係**なのだ。また論文であれば、「こんな簡単なことは知っているよ」と読む行為を放棄することも、「難しくて分かんない」と思って、何度も読み返すこともできる。読む行為は、圧倒的に読者に主導権がある。論文では読者の自由意志が絶対的に優先されるのだ。しかしプレゼンテーションは、聴き手よりも話し手に大きな主導権が与えられている。聴き手は、分からないから音声を巻き戻して、もう一度聴き直すといったことはできないのだ（まあ、聴くことをやめるということはできなくはないが……）。そのため話し手の責任として、聴き手に分かりやすいように話さなければならない。このことはまず頭に入れておこう。

2　アウトラインの構成

　さあ、いよいよこれから**アウトライン**を作っていくことになるが、忘れてはならないのは、先ほど述べたように話し手の責任として聴き手が分かりやすいように作るということである。

　さて、私たちは仮説演繹型のモデルでもって、現象や事実から仮説を形成し、その仮説に対し、予言を設定し、それを検証し、正しいことを導き出すということにした。しかしこれはあくまで頭の中での思考訓練

みたいなもので、この時行った思考の軌跡をそのままプレゼンテーションにしてしまうと、実は聴衆は話を聴いていても、分からなくなってしまう可能性がある。これを整理し、洗練した形にしなければならない。

まず、プレゼンテーションの型は大きく分けると2つある。1つはトップダウン型で、もう1つはボトムアップ型である。

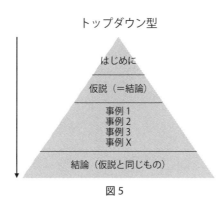

図5

トップダウン型は最初に結論を提示するものである。そしてその後にその結論を裏付ける事例を展開していき、最後にもう一度結論で締めくくるものである。

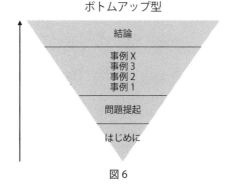

図6

一方、ボトムアップ型は、まず事例を提示し、そこから結論を導き出し、論証するものである。

トップダウン型にしてもボトムアップ型にしてもそれぞれメリットとデメリットがある。

　トップダウン型のメリットは、結論がまず述べられるので、結論が一目瞭然、ゴールがきわめてはっきりしていることである。一方、デメリットは何の前触れもなく結論が述べられるので、何となく唐突感があることであろうか。

　ボトムアップ型のメリットは、事例を出して、そこから仮説を形成するので、結論にいたる思考の流れを追体験でき、比較的理解しやすい。デメリットは結論が最後まで分からないので、どんな道筋で、どんな結論なのか分からないもやもや感が最後までつきまとうことである。

　トップダウン型とボトムアップ型を比較すると、多くの人がボトムアップ型を最初にやろうとする。日本人はどうやらボトムアップ型の方が好きなようだ。しかし実を言えば、どちらかの方がよいということはなく、最終的には好みと、相手次第である。筆者は、論文などではボトムアップ型が多いが、講義型の授業ではトップダウン型で構成している。講義をトップダウン型にするのはまず学生に今日の結論を話すことで、最初に到達目標を示し、それから詳細を話すことで、授業の構造を学生が理解し、少しでも眠くなったり、飽きたりすることを防げるからと考えているからだ。

　プレゼンテーション初心者に関して言えば、断然、トップダウン型をお勧めする。こちらの方が初心者には効果的であると言えるからだ。その理由を挙げておこう。

◉聴衆の集中力が高いのは最初と最後！

　聴衆が集中して聴いているのは、最初の数分と最後の数分である。その間、まったく集中していないということはないが、集中力はかなり散漫になる。その集中力があるうちに結論を語ることで、目標が明確になり、これから展開する論にも集中力を維持させることができる。そして最後にまた、結論を述べて結論を印象づけると、全体に分かりやすかったという印象を与えることができる。

◉目的地の分からない冒険は不安だらけ!

人は目的地がはっきりしないまま、案内人にあっちへ連れていかれ、こっちへ連れていかれ、と連れ回されても、不安になるだけだ。どこが目的地、つまり結論であるかが明示されていれば、安心してついていくことができる。そのためにも最初に結論をはっきりさせておくとよいだろう。プレゼンテーションは推理小説ではない。犯人＝結論を最後まで明かさないと、それこそサスペンスな気持ちになってしまうものだ。

以上のことを考えて、アウトラインの形を図式化すると次のようになるだろう。

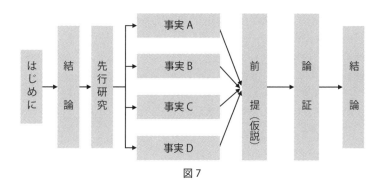

図7

「はじめに」では、自己紹介など、導入的なことを手短に話そう。またここで問題提起に至った経緯などを話すのもよいかもしれない。その後に、「問い」とその問いから導き出せる「結論」を提示する。

その後で本論に入っていくのだが、最初にプレゼンテーションの構成をここで述べるのもよい。いわばプレゼンテーションの地図、見取り図を示すことだ。その後で先行研究に触れよう。先行研究について言及する際は、あなたの「問い」がこれまでの研究の延長線上にあるのか、先行研究に対して異議を唱え、新たなアプローチを提示するのかを提示することで、あなたの研究がその研究分野に対して、どのように学問的に位置づけられるかを明らかにすることになる。

先行研究を論じた後で、いよいよあなたの本論の核心部分になってく

る。ここでは、演繹や帰納、先ほど紹介した仮説演繹法などを駆使して、論証していくことになる。図7は仮説演繹法を使った例である。

　一連の論証によって「問い」に対する結論が正しいことを論じ終えた後で、もう一度、結論を繰り返す。当たり前だが、最初に「問い」とセットで提示した結論と同じ内容になっていないといけない。

3　発表原稿の作成

　さて、アウトラインもできあがると、いよいよ、発表原稿に取りかかることになるが、基本的にはアウトラインにさまざまな情報を肉付けして作っていくことになる。

　原稿を作る上で、気をつけないといけない主なことは、以下のような点だ。

⊙問いと結論を一致させること

　アカデミックなプレゼンテーションは、要するに問いを提示し、それを論証し、問いが正しいことを結論づけることだ。そのため最初に問題提起をすることになるのだが、この最初の問いと結論が正しくリンクしていないと論理的なプレゼンではなくなってしまう。「そんなことはないよ、問いに対する結論になるに決まっているじゃないか、実際、これまで注意されたことを意識して、発表原稿を作ってきたんだから！」と思うかもしれない。確かにあの仮説演繹法を使って何度も思考訓練をしてきたら、そんなことにはならないはずだ。

　しかし実際に原稿を書いていると、さまざまな情報を取り入れたり、配布資料・スライドを作成したりしているうちに、当初の問いから微妙にずれてしまって、正しい対応関係になっていないことがある。こうしたことが起こる原因はさまざまだが、集めた資料やデータをすべて使いたいという欲が原因の1つとして挙げられる。みなさんは原稿作成までに、沢山の文献を収集し、読んで分析し、調査をしてきた。それは結構、大変な作業で、そのことを想い出すと、集めた資料データを使わないというのは、もったいなく、全部使いたいという気持ちに襲われる。

しかし、集めた資料が全て、あなたの論に必要かといえば、そうでもないものが多数混じっているはずだ。重要なのは集めた資料を厳選して、自分の論に適切なものしか使わないという**一種の断捨離を実践すること**だ。そうすることで論旨のブレはかなり防げる。断捨離して断念した資料やデータは、無駄になるかと言えばそうではない。それはあなたのデータベースになり、何かのレポートや別の機会のプレゼンテーションに使えるのだから。

◉結論を導くのに適切で十分な事例を含めること

　短い発表時間内に自分の主張をコンパクトに入れていかなければならないので、発表原稿を作っていると、発表時間に合わせて余分なものを削除してくことになる。その時に問いを論証するための事例などを極端に省略してしまうと、一面的な論証になり、そのことで、説得力のないものになってしまうことがある。

　筆者は大学院生だった頃、ある出版社で俳句の『歳時記』を作るアルバイトをしていたが、担当の編集者から厳しく言われていたことは、それぞれの項目を執筆する際にニュースソースの異なる文献、資料を最低3つ見つけて、それが全て同じことを言っていたら正しいものとして記述してよいということだった。そこで筆者は、①一次資料の記述、②現代の事典や文献の記述、③関係者・関係機関への電話取材の3つのニュースソースを基本にして、資料を集めて、記述するようにした。もちろんこれは、辞典という性格上必要なことであったのでそうしたのだが、何かを論証しようとした時でも事情はそう変わらず、多角的な面から検証する必要がある。

　ただし複数の観点から多角的に自分の研究対象を見ても同じ結論に達することが重要なので、類似の事例を沢山列挙すればよいというものではない。だからと言って1つの面からの検証や事例では、十分とは言えない。いくら制限があるといっても1つの面からの検証ではなく、できれば複数の観点からの検証をしたことを示さなければならない。

⊙事例の列挙で終わってはいけない。

　最近、よく目にするプレゼンテーションは、事例の列挙で終わってしまうパターンだ。最近はインターネットが発達したおかげで、昔では考えられないような数のデータにアクセスできるようになった。そのためこれまで言及されていなかったような貴重なデータも収集できるのだが、それが上手く活用できずに、結論が集めたデータの総括で終わってしまうことがある。これでは「論」ではなく報告だ。実は学会などで発表を聴いていると、この手の落とし穴に陥ってしまっていると思われるものを見かける場合が時としてある。気をつけよう！　プレゼンテーションは論であり、事例は、「問い」と「結論」をしっかりさせるためのものであることを意識して作成しよう。

⊙分かりやすい言葉遣いをすること

　これまで、何度か述べてきたが、プレゼンテーションをする上で重要なことは、**聴衆に分かりやすい**ということである。みなさんもある人の発表を聴いて、その人が話している内容を理解するのは結構、難しいという経験をしたことがあるだろう。発表をしている当人にとっては既知のことだが、聴いている人にとっては初めての知識である場合が多々ある。そのためそれが何を意味するのか考えながら聴いていくことになるが、その発表者が、スライドも使わず、早口で喋っていたら、それについていくのは大変なはずだ。なぜついていくのが大変なのだろうか。その原因はだいたい次のようにまとめられるのではないか。

・難しい、あるいは初めての語や概念を説明なしに用いられて、そもそも何を言っているか分からない。
・日本語は同音異義語がたくさんあるため、文字情報であれば漢字が当てられるので一目瞭然で区別がつくが、音声情報のみであると、どの意味の語なのか直観的に把握することが難しく、迷っているうちに分からなくなる。

すると話を聴いていても、これはどういう意味だろうと考えているうちに、話が先に進んで、ついていけなくなってしまい、結局、何を話しているのか分からなくなってしまうものだ。その結果、集中力が落ち、頭がぼーっとして睡魔が襲ってきたり、手元のスマートフォンをいじったりしてしまう。話についていけなくなり、理解できなかったという経験をした人は、思い当たることがあるのではないだろうか。前述のように読書は、読者に絶対的な主導権があるが、プレゼンテーションは圧倒的に発表者に主導権がある。もし話していることを理解できないということに思い当たる人がいれば（だいたいの人は当てはまると思うのだが）、理解できないのは、聴き手の理解力がないからだけではなく、話し手の方にも問題があるからということが分かるだろう。

　そう考えれば、自分が話し手になった時は、聴衆が話している内容を理解するのは難しいという前提に立って、主導権を持っている発表者の責任として、聴き手の理解を促す工夫と努力をしなくてはならないことも分かるだろう。発表内容がよいから必ずしも素晴らしいプレゼンテーションであるとは言えず、聴き手が理解し、納得してくれて初めて素晴らしいプレゼンテーションと言えるのである。

　では分かりやすい、理解しやすいプレゼンテーションにするにはどうしたらよいのだろうか。簡単に言えば、今、挙げた問題が解消されていれば、理解しやすいということだ。プレゼンテーションと論文とが決定的に異なるのは、聴き手が言葉を視覚的な情報として認識できない聴覚情報中心ということである。

　たとえば音は同じなのだけれど、意味が異なる言葉が日本語には多数存在する。同音異義語である。論文であれば、同音異義語の多くは、漢字が異なるので意味が異なるということが視覚的に認識できるが、聴いているだけでは漢字の違いを識別することができない。たとえば「交渉する」と「考証する」は、音が一緒であるため、聴いている聴衆は文脈によって判断するしかなく、その分、聴衆に負担をかけることになる。

　それではどうすればよいのだろうか。もし**漢語を和語に置き換える**こ

とができれば、聴衆が理解しやすくなるだろう。しかしそれも難しい場合がある。筆者が最近、使った言葉に「帰属の類比」というものがある。この場合、「帰属の類比」という言葉自体が特殊で、普段使わない言葉なので（実際、「帰属の類比」は中世ヨーロッパのスコラ哲学の術語だ）、「きぞく」という音を聞いて直観的に「帰属」が思い浮かぶとは思えない。場合によっては「貴族」を連想してしまうかもしれないし、そもそも何のことか分からないかもしれない。何か聴衆が理解しやすくなる工夫をしなければならない。しかし「帰属の類比」は学術用語であるので、「帰属」を和語に置き換えることはできない。そこで配布資料に「帰属の類比」と書いて、用語の説明を付け加えることにした。そのことで「きぞくのるいひ」が「帰属の類比」というものであることがはっきりと分かるようになる。このように聴衆にとって分かりやすい工夫をする必要がある。

　ところで、聴衆に分かりやすい言葉遣いといっても、プレゼンテーションのようなオフィシャルな場で友人と話すような砕けた口調で話すべきではない。プレゼンテーションで「てゆうかぁ」や「……なんだけど」などと言われたら、聴いている方は、どんなに発表内容がよくても、発表者の学問に対する誠実さを疑い、聞く耳を持たなくなるだろう。

　またある特定の共同体や世代でしか通用しないジャーゴン（仲間内だけで通じる言葉）を使うのも避けた方がよい。これは略語であっても同じだ。一時、はやった「KY」＝「空気読めない」などがそうだ。特定の人たちには当たり前ですぐに理解できるだろうが、会場に居合わせた聴衆が全員、そうした言葉の意味するところを共有しているとは限らないからだ。

　一方、ある特定の共同体でしか通じないものに学術用語・専門用語がある。しかし学術用語・専門用語とジャーゴンとは異なることに気をつけよう。学術用語・専門用語は明確に定義づけができ、一度定義づけされると、誰が用いても同じ意味で用いられるのが前提であるのに対して、ジャーゴンは何となくのその場の雰囲気や曖昧な定義づけで共有されるものである。そのため使う人によって意味内容が異なってしまうことも

ある。同じ分からない言葉であっても、定義が明確であれば、何らかの形で検証できるが、その場のノリで使われた言葉では、その雰囲気を共有していなければ理解できないし、そもそも分かり合えないかもしれない。

　言葉遣い以外でも、重要な要素がある。文章の複雑さだ。複雑な構造や一文が長い文章は、聴いている側からすると分かりづらい。特にそれが未知の領域のものであれば、なおさらだ。たとえば次のような文章を読んでみてほしい。

ケース 9-a

　　近代的な国家と国民の関係は、デカルトの懐疑論に起源を持つと言えますが、デカルトは神である超越者に先立って、「方法的懐疑」を通して自己確立をする必要があり、自己が確立された後で、確立された自己が超越者を確信するので、神は間違いなく存在すると論じていますが、いわば神は個物の後に成立すると考えていると言えます。言い方を換えれば「神の存在証明」は、自己が確立されないと不可能であり、個人の自己が確立されなければ、神も存在しないことになってしまいます。この神を国家に置き換えますと、個人としての国民が存在しなければ、国家は存在しないとパラフレーズでき、ここに国民主権の近代的な国家観が成立するのです。

　この文章が分かりづらいのは、一文が長いことと漢語が多いこと、デカルト哲学の概念を説明していないからだと言えよう。これを次のように言い換えてみるとどうだろうか。

ケース 9-b

　　近代的な国家と国民の関係は、フランスの哲学者デカルトに起源を求めることが可能です。デカルトは全ての事柄を疑ってみることで、疑っている自分だけは疑いようもなく存在するという所謂「方法的懐疑」を通して自己を確立します。その疑いようもなく存在す

る自己が神を確信するのであるから神が存在するのは自明であると神の存在証明をします。このことは神が人間を存在させていると考えた中世とは異なり、個人としての人間が存在して初めて神が存在することを意味してしまいます。神を国家に、人間を国民に置き換えて、国家と国民の関係にパラフレーズすると、国家があるから国民が存在するのではなく、まず個人としての国民が存在しなければ国家は存在しないということになります。この点が、デカルトが国民主権による近代国家の礎といわれる所以です。

　ポイントは一文を短くすること、「方法的懐疑」や「神の存在証明」などといった場合によっては聴衆が戸惑いそうな言葉を一言、解説したり、別の表現に変えたりすることである。ほんの少しの工夫で分かりやすくなったのではないだろうか。

◉聞いていてポイントがはっきり分かるようにすること。

　また事例を提示する際にも一工夫すると、聴いている方はグッと理解しやすくなる。次の文章を音読して、人に聴いてもらおう。

ケース 10-a

　フランスの社会学者ピエール・ブルデューを代表する概念は、界(かい)あるいは場、文化資本、ハビトゥスです。「界」あるいは「場」と呼ばれるものは、自律的な規則、規範などを持つ個人や集団などが構成する秩序体系のことですが、一方の「文化資本」は人が所有する文化的な財あるいは能力のことを指します。ブルデューは、これらの財や能力を資本になぞらえ、投資や蓄財や譲渡が可能なものとして扱っています。これらを可能にするために必要なのがハビトゥスです。ハビトゥスは人が特定の共同体や秩序の中で生きていると、無意識のうちに身につける体系的な知識や行動様式の総体のことです。これが「文化資本」の一部となり、これらを共有することで「界」あるいは「場」が形成されるのです。

これに対し、同じ内容だが、次の文章はどうだろうか。同じように聴いてもらおう。

ケース 10-b

　フランスの社会学者ピエール・ブルデューを代表する概念は大きく「界」あるいは「場」、「文化資本」、「ハビトゥス」の3つに分けられます。これらが密接に関連してブルデューの社会学を構成しています。

　1つ目の「界」あるいは「場」と呼ばれるものは、自律的な規則、規範などを持つ個人や集団などによって構成される秩序体系のことです。

　2つ目の「文化資本」は、人が所有する文化的な財あるいは能力や価値観のことです。これはそれぞれの人が所属する社会、すなわち「界」によって異なってきますが、ブルデューは、これらの財や能力を資本になぞらえ、投資や蓄財や譲渡が可能なものとして扱っています。

　3つ目の「ハビトゥス」は、人が特定の共同体や秩序の中で生きていると、無意識のうちに身につける体系的な知識や行動様式の総体のことです。

　この「ハビトゥス」が「文化資本」を規定し、「ハビトゥス」と「文化資本」を有している人々の集団が「界」ということになります。

　最初にポイントがいくつあって、それを箇条書き形式で列挙した方が聴衆には分かりやすい。これも聴衆があらかじめ何がこれから語られるか、予測がつくからだ。

4　絶対にやってはいけないこと！　剽窃とデータ改竄

　アカデミックなプレゼンテーションで、絶対にやってはいけないことがある。それが**剽窃とデータの改竄**である。剽窃とは、他人の意見をあ

たかも自分の意見のように論の中に組み込んでしまう行為だ。もちろんこれは、他人の意見を一切用いてはいけないなどということではない。他人の意見を用いたなら、これは○○さんの意見ですということがはっきり分かるようにしなくてはならないということだ。論文では、ブロック引用や「　」で区別できるが、プレゼンテーションの場合は、視覚的な区分を用いることは難しいので、「△△によれば、〜であると言われる」といったような形ではっきりと自分の意見と他人の意見を区別する工夫をしよう。もし意図的に他人の意見を自分の意見のように話してしまったら、極端なことを言えば、この行為は著作権に関わる犯罪となってしまう。

　ところが実はみなさんのような大学1年生や2年生の中には、意図せずして剽窃をしてしまうことがある。たくさんメモ書きや抜き書きを作ったが、それらに出典や作者名を書き忘れてしまうと、いつの間にか自分の意見だと思い込んでしまい、「俺もなかなかいいこと言ってるじゃん」などと得意になって、自分の意見として使ってしまう。でもこれは言い訳にならないので気をつけねばならない。

　もう1つ、剽窃と同じくらいやってはいけないことにデータの改竄がある。これはたとえば仮説を立てて実験を行ったが、予想していた数値が現れなかった、あるいはやはり何らかの仮説を立ててアンケートを採ったが、仮説を補強してくれるような結果が得られなかった、ということがあるかもしれない。だからといって実験結果の数値を自分の都合のよいものに変えたり、実験結果ではない数値を持ってきて、あたかも実験で得られた数字であるかのようにしたりすることは、絶対にしてはならないことだ。同様にアンケートや社会調査の数値も変えてはいけない。もしこうしたことを行い、後に発覚した場合、それ以外はどんなにすばらしいプレゼンテーションであっても、まったく信用のおけない、評価されないものになってしまうばかりか、みなさん自身の社会的信用も大きく揺らぐことになってしまう。そのことは、昨今のさまざまな不正データ利用のニュースを見ていれば分かるだろう。

　では自分にとって都合のよくないデータしか得られなかった場合はど

うすればよいのだろう。まずは、予想に反して思ったようなデータを得られなかったことをプレゼンテーションで誠実に報告することを考えるべきである。その上で、思ったような結果が得られなかったことで論が決定的に破綻してしまうようであれば、別の調査法を考えるか、そもそも最初の仮説が適切でなかったとして、別の観点からもう一度考えるようにしよう。

5　読み上げ原稿か、暗記か

　できあがった発表原稿であるが、この発表原稿を読み上げるなら、発表時と同じように、原稿を「です・ます」調で作っておくべきである。プレゼンテーション初心者が、メモ程度の原稿で本番に臨むのは絶対に避けるべきである。緊張してしどろもどろになる可能性もある上に、人間は思わず、「あー」とか「えーと」などの余分な言葉を入れてしまうもので、その分、時間はロスされてしまい、さらには印象もよくない。こうした無駄な時間をなくすためにも、原稿を読み上げるのであれば、完全原稿で臨むべきである。また最近のパソコンのスライドのソフトでは、手元のパソコンのみに読み上げ原稿を提示し、プロジェクターの投影画面には反映されない機能がついている。それを利用し、スライドに読み上げ原稿をつけておけば、スライドとのリンクも必ず一致するので、万全である。

　一方、暗記して臨むことも考えられる。暗記していれば、発表中、聴衆と目を合わせることもできるし、身振り手振りを加えることもでき、発表時のパフォーマンスの自由度は高まる。ただしこの場合も、中途半端な暗記は禁物である。何かの拍子に、一段落分ぐらいすっぽり抜け落ちてしまい、論理的なつながりが追えなくなってしまうことも考えられる。そうなってしまうと聴衆は発表内容を理解できなくなり、評価は低くなってしまう。だから言い忘れることがないように、何度も練習をして本番に臨むべきである。

　ところで結構やっかいな問題は、原稿の読み上げと暗記のどちらの方がよいのかということである。実はこれに関してはどちらがよいとは言

えない。自分の属する専門の分野によって流儀が異なっているからである。たとえば筆者の属している日本フランス語フランス文学会での発表は、原稿は読み上げるのが慣例である。ところが別の学会では暗記が原則であったりする。

　要するに、専門の分野によってプレゼンテーションの作法が異なっているのである。そのため原稿を読み上げるのか、暗記するのかのどちらがよいとは断言できないのである。文学のゼミ、経済学のゼミ、政治学のゼミ、物理学のゼミ、生物学のゼミなどそれぞれの分野、そしてそれぞれの先生によって作法が異なるので、自分の属している知の共同体の流儀にあわせるべきで、その分野の作法に従ってほしい。そのためここでは最もよいのはこれだ！　ということはできない。

ポイント！
・仮説（前提）と結論を一致させること。仮説（前提）から逸脱した結論になっていてはいけない。
・結論を導くのに適切で十分な事例を含めること。
・事例の列挙で終わってはいけない。
・分かりやすい言葉遣いをすること。
・聞いていてポイントがはっきり分かるようにすること。
・聴衆の脳裡に自分の主張が定着できる工夫がしてあること。
・剽窃とデータの改竄は絶対にしてはいけない。
・発表のスタイルは、研究分野の流儀に従うこと。

第 2 部

準備編
スライドを作ってみよう！

6 ‖ よいスライドってどんなのか教えて！

　レポートとは違い、プレゼンテーションでは口頭で発表を行うことにより、聴衆に主張を直接伝えることができ、必要に応じて、その場で発表者と聴衆を交えた質疑や討論を行うことができる。このことからも分かるように、**プレゼンテーションとはコミュニケーションなのである**。発表者から聴衆への一方的な発表と思わず、発表者と聴き手の双方にとって有意義なコミュニケーションの場であると考えるべきである。プレゼンテーションの後に、質疑応答の時間が設けられることも、資料を丁寧に作成し、読み手が理解しやすい工夫をすることも、建設的な議論をすることを前提としていることを肝に銘じたい。そのためには発表者から聴衆への単なる情報伝達だけでなく、情報交換の機会として、有効なものにするさまざまな工夫が必要である。

　プレゼンテーションでは、自分の考えに興味を持ってもらうきっかけになるような、伝えたいことが正しく伝わるような表現方法が重要になってくる。その一助として、プレゼンテーション資料は存在する。そのプレゼンテーション資料にはさまざまなものがある。プロジェクターで投影するスライドやポスターセッションのポスター、聴衆の一人一人に配る紙媒体の資料などなど。第2部ではこのうち主に、これからみなさんのほとんどがプレゼンテーションをする際に使用することになるであろう**スライド**について考えてみたいと思う。

1　スライド作成の準備に取りかかる前に

　スライド作成の具体的な準備に取りかかる前に、よくないスライドとはどういうものかということを少し考えてみよう。よいプレゼンテーションとは、その内容が聴衆に上手く伝わるようになっていることが一番重要で、その補助手段として、視覚に訴えるものがスライドである。この時、発表内容とスライドの関係は、**発表内容が主で、スライドが従**とい

う関係でなければならない。言い方を換えれば、悪いプレゼンテーションとは、スライドが主となってしまい、発表内容が従のプレゼンテーションになってしまっているものだ。あるいはスライドは視覚的効果が大きい媒体だが、この性質を上手く生かせないと、かえって分かりにくいプレゼンテーションになってしまう。一言で言えば、見させるスライドではなく、読ませるスライドになっているとその効果は、十分に発揮できないということだ。それは理解を助ける補助資料としては不適切であり、悪いプレゼンテーションである。

　「なんだ当たり前のことじゃないか」と思うかもしれないが、実際に授業などで学生のみなさんの発表を聴いていると、スライドがメインの発表だったり、文字だらけのスライドだったりして、主張が見えて来ない発表が結構あるのだ。ここでは、スライドが主で発表内容が従になってしまったプレゼンテーションの例とスライドの性質を上手く使いこなせていない例を簡単に見ておきたい。

◉アルバム型のスライド

　たとえば、次のような発表を見てみよう。

ケース11

　本日は、日本の少子高齢化の問題について発表したいと思います。今、日本では少子高齢化社会と言われ、このままですと日本の社会保障制度がおかしなことになる恐れさえあります。そのことを説明し、どうすればよいかを提言します。まずはスライド（【1】）をご覧下さい。

　この資料は日本の人口の推移を表したものです。一番左端の1950年の棒グラフで特徴的なのは、65歳以上の人口が極端に少ないことです。それに対し14歳以下の人口が多い傾向があります。この14歳以下の人口は1980年をピークに減少に転じています。それに対し、65歳以上の高齢者が徐々に増え続け、2000年頃からは、14歳以下の人口を上回るようになっています。また日本の総人

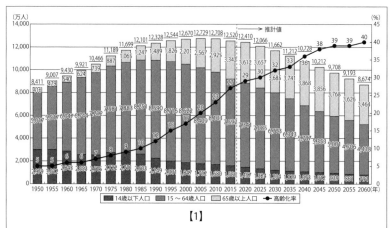

【1】

（出典）2015 年までは総務省「国勢調査」（年齢不詳人口を除く）、2020 年以降は国立社会保障・人口問題研究所「日本の将来推計人口（平成 24 年 1 月推計）」（出生中位・死亡中位推計）
平成 28 年度版『情報通信白書』

口も 2010 年頃をピークに減少に転じ、2060 年には 1950 年とほぼ同じ水準になると推測されていることが分かります。そして 1950 年の 14 歳以下の人口と 65 歳以上の人口の比率がまるで逆転しているかのように 14 歳以下の人口が極端に少なく、65 歳以上の高齢者の比率が高くなっています。

　次のスライド（【2】）を見て下さい。

　これは日本の社会保障費の給付の部門別の推移です。これを見ると一目瞭然ですが、1950 年と 2015 年を比べてみると、とてつもなく社会保障費が増大していることが分かります。特に年金の支給率が大幅に増加しており、それに次いで、医療費が増大しています。これらが国の財政を圧迫していることになります。

　次のスライド（【3】）を見て下さい。

　これは、高齢化の状況は、日本に限らないことを表わしています。世界的に見ても、医療技術が進歩し、社会保障が充実したこともあって、先進国ではどの国も高齢化が進んでいます。しかしその中

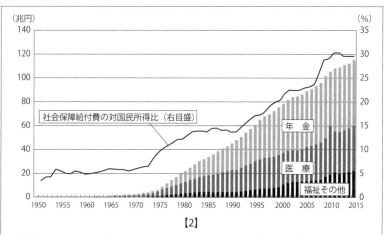

【2】

（資料）国立社会保障・人口問題研究所「平成 27 年度社会保障費用統計」
（注）1963 年度までは「医療」と「年金・福祉その他」の 2 分類、1964 年度以
降は「医療」「年金」「福祉その他」の 3 分類である。
平成 29 年度版『厚生労働白書』

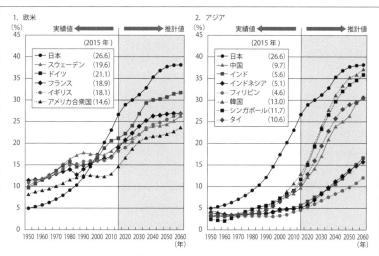

【3】　世界の高齢化率の推移

（資料）UN, World Popuration Prospects: The 2017 Revision
ただし日本は、2015 年までは総務省「国勢調査」、2020 年以降は国立社会保
障・人口問題研究所「日本の将来推計人口（平成 29 年推計）」の出生中位・
死亡中位仮定による推計結果による。
平成 30 年度版『高齢社会白書』

でも日本は、1990年代までは高齢者よりも若者が多い社会で、むしろフランスをはじめとするほかの先進国の方が高齢化社会だったのですが、2000年以降、急速に高齢化が進み、その高齢化のスピードがいかに速かったかということがこの図から分かります。

　以上のことから少子高齢化の社会状況とそれにともなう社会保障費が増大していることが分かると思います。このままでは国の財政は破綻をしてしまうことになると思いますので、何らかの対策を早急に打つ必要があります。以上で発表を終わります。

　このプレゼンテーションを聴いて思い出すのは、結婚式で見せられることの多いスライドだ。「この写真は新郎がよちよち歩きを始めた時の写真です」「この写真は、新婦の成人式の折、振り袖姿をおじいちゃん、おばあちゃんに見せに行って、家族みんなで撮ったものです」というあれである。

　誤解しないでほしいが、もちろん結婚式のスライドを批判するものではない。これ自体は新郎、新婦の人生の断片を紹介したもので、当たり前のことだが、映し出される写真と写真のあいだには有機的な関連も、論理的なつながりもない。それぞれのこれまでの人生で印象に残っている断片を連続して見せているものなのである。

　しかし、これが興ざめにならないのは、結婚式のスライドだからだ。これをプレゼンテーションのスライドに置き換えて考えてみるとどうなるだろうか。資料やグラフなどを写し出して、この図は何々です、次の図はこれこれですとスライドを1枚1枚説明していくが、最初のスライドと次のものとの関連がなく、それぞれのページの説明にすぎないものだったらどんな印象を与えるだろうか。

　そのように考えると、まさに上のプレゼンテーションがそうだと思わないだろうか。このプレゼンテーションではスライドのページを変えるたびにそのページに書かれていることについて説明はするが、前のページや次のページとの関連はまったく説明されない。1の人口の推移を受けて、2の社会保障の給付の推移が説明されているわけではない。3に

ついても同じだ。もちろん聴いている人は、何となく関連するのかな、とは思うだろうが、実際には1と2と3を貫く論理的な説明はなく、ただ単にそれぞれの図の説明をしているにすぎない。

　こうしたプレゼンテーションは最終的に何を言いたいのか、聴衆には伝わらない。むしろ聴衆を混乱させるか、退屈させるかのどちらかだ。プレゼンテーションでは、結婚式のスライドとは違い、それぞれのスライドが必然的で有機的な結びつきを持って展開されなければならないのだ。そうでなければ、資料に振り回されて、論旨を見失ってしまったプレゼンテーションと言われてしまう。

◉文字ばかりのスライド

　またスライドの本質を見失うと、やはり分かりにくいものに仕上がってしまう。発表内容の補助資料ということでは、スライドも紙媒体の配付資料も同じであるが、性質は異なっている。端的に言えば、スライドは見せる資料であり、紙媒体は読ませる資料である。この性質を見誤ってしまうと、分かりにくいものになってしまうのである。次のスライドを見て、どんな印象を持つだろうか。

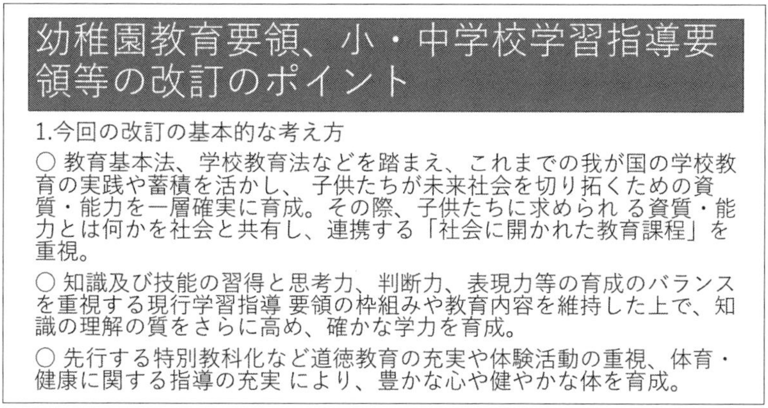

> ## 幼稚園教育要領、小・中学校学習指導要領等の改訂のポイント
>
> 1.今回の改訂の基本的な考え方
> ○ 教育基本法、学校教育法などを踏まえ、これまでの我が国の学校教育の実践や蓄積を活かし、子供たちが未来社会を切り拓くための資質・能力を一層確実に育成。その際、子供たちに求められる資質・能力とは何かを社会と共有し、連携する「社会に開かれた教育課程」を重視。
> ○ 知識及び技能の習得と思考力、判断力、表現力等の育成のバランスを重視する現行学習指導要領の枠組みや教育内容を維持した上で、知識の理解の質をさらに高め、確かな学力を育成。
> ○ 先行する特別教科化など道徳教育の充実や体験活動の重視、体育・健康に関する指導の充実により、豊かな心や健やかな体を育成。

図8　文部科学省「幼稚園教育要領、小・中学校学習指導要領等の改訂のポイント」

これは文部科学省の「幼稚園教育要領、小・中学校学習指導要領等の改訂のポイント」に書かれていたことをそのままコピーして、スライドの画面にペーストしたものである。これをぱっと見て、ポイントが一目で分かるという人はいるだろうか。おそらく誰もいないと思う。こんな感じのスライドでは、画面に映し出されても、直感的に何を主張したいのか分からない。スライドには極端なことを言えば、文章は必要ない。なぜなら、文章で書くべきことは、発表者が口頭で述べるべきものだからだ。スライドにはその発表内容のポイントを押さえた単語ないしはフレーズで十分だ。

　ではたとえば文学研究や歴史研究で、引用文献がある場合は、どうしたらよいだろうか。思い出してみよう、読ませる資料は紙媒体なのである。スライドで画面が真っ黒になるまで引用するくらいなら、紙媒体でスライドとは別に引用を抜き書きしたものを配布した方がよいだろう。

　いずれにしても発表の補助である資料の性質と本質をしっかり把握して、適切な資料を作成しないと、せっかくの発表が台無しになってしまう。

　では、次節から具体的に効果的なスライドの作り方を考えていってみよう。

7 ‖ 理解してもらえるスライドとは

1 スライドのアジェンダ（骨子）と発表内容の計画

　現代のプレゼンテーションでは、視覚補助資料、特にスライドを用いることがほとんどであろう。もちろん、口頭による発表のみで行うようなプレゼンテーションの形態もあるが、そのような場合は基本的に伝えたいエッセンスが1つ、もしくはごく少量の場合である。たとえば入学式での学長あるいは入社式での社長のスピーチなどがその最たるものである。ある考察の対象について詳細に何かを伝えるというよりも、聴き手に対して伝えたいメッセージを絞りたい時には有効である。視覚補助資料がないため、発表者の発言に集中して聴くことができ、無駄な情報の入力が自然とそぎ落とされるため、話す内容がより直接的に伝わる。

　しかしアカデミックなプレゼンテーションはそういったものではない。どちらかといえば資料が何もない口頭のみでの発表では、聴き手は何のことか理解するのが難しいことの方が多い。そこで問題となるのは、理解の助けとなる補助資料をどうするかということだ。こうした補助資料の1つがスライドだ。ここではスライドによる発表資料の作成を考えてみたいと思う。まずはその第1段階である。

　まずは、スライドの**アジェンダ**を作成してみよう。アジェンダとは骨子、発表議題項目あるいは目次のことである。言い換えれば、アジェンダとは発表の大まかな流れのことであり、プレゼンテーション全体の設計図である。このアジェンダは第1部でも触れたアウトラインに相当するものだが、アウトライン同様、しっかりした流れが頭に入っていれば、スライド作成はぶれることはない。このアジェンダに沿ってスライドを作成していけば、論が脱線し、迷走していくことはない。またプレゼンテーションの際にもこのアジェンダを提示すれば、聴衆にとっても、これから自分が辿る論理の道筋の見取り図が分かり、理解の一助となるだろう。

なお一般的には、アジェンダは、冒頭で「目次」や「本日の発表の流れ」という題名のスライドで提示されることが多い。

2　アジェンダの重要性

　一般的に、みなさんは、論文やレポートの作成時にアウトラインを作成しているはずだ。繰り返しになるが、アウトラインとは全体の構成や輪郭のことであり、レポートや論文を執筆する前段階で作成する設計図のようなものである。論理展開の矛盾がない、構成に問題がない、などはこのアウトラインをしっかり作ることで達成できる。このスライドに用いるアジェンダは、論文やレポート、発表内容を構築した際のアウトラインから作成すると効率的であろう。このアウトラインを元に発表すべき内容を整理し、思考を整理することで、よいアジェンダが作成できる。ではスライド用のアジェンダは実際、どのようなものとなるだろうか。

　スライドのアジェンダの構成案として、たとえば次ページのようなものがある。

　分野によっては、序論に入るべき要素や本論に入るべき要素や順序が変わるような構成も考えられるが、基本的にはどの研究分野でも概ねこのような3部構成を持つだろう。

　スライド資料を作成する際に大事なのは、この構成案などをもとにして、どの情報を盛り込むべきか、どの情報を捨てるべきか、情報の取捨選択の判断が重要になる。この選択に影響を与えるのが、前節で述べたような聴衆分析、状況分析である。これらの情報を上手く使って、資料の作成に当たろう。

例 1)　アジェンダの例

序論：1)　研究の概要
　　　1 - 1)　問題の背景と研究の目的（問いの設定）
　　　1 - 2)　研究の動機
　　　1 - 3)　既存研究・現状の整理、体系化（競合分析）
　　　1 - 4)　自身の研究の立ち位置の明確化（新規性、独創性、
　　　　　　　優位性）
本論：2)　研究の方法
　　　2 - 1)　提示した目的に対して提案する手法
　　　2 - 2)　手法の詳細説明
　　　2 - 3)　結果・評価
　　　2 - 4)　競合手法との客観評価
　　　2 - 5)　考察
結論：3)　まとめ
　　　3 - 1)　残された課題
　　　3 - 2)　今後の展望
　　　3 - 3)　まとめ

3　プレゼンテーションの計画を立てる

　ところで、プレゼンテーションのスライドの作成と発表内容を考える際、発表時間を考慮して計画を立てることが重要である。多くの場合、口頭発表では、発表者に与えられる時間は決まっている。発表時間と質疑応答の時間で合わせて何分、といった具合だ。初学者のプレゼンテーションの場合、長くても15分の発表で、質疑応答に5分といったものが多いのではないだろうか。これをあらかじめ把握しておかねばならない。この時間内に収まるようにアジェンダをアレンジする必要が出てくる。

　発表時間は5分、10分、15分と比較的短い発表のこともあれば、30分から1時間与えられる場合もある。発表時間が少ないのにスライド資料が膨大になれば、持ち時間内で説明しきれないだろうし、発表時間がたくさん与えられているにもかかわらず、スライド資料が概略的で少な

すぎると、時間を持て余す。どの情報を盛り込み、どの情報をそぎ落とすかは、この与えられた発表時間を目安に指針を決めていこう。するとここで問題が生じる。前節で提示したアジェンダは発表時間がだいたい15分から20分程度のものと考えてよいだろう。これをたとえば5分しか発表時間がないプレゼンテーションに適用できるだろうか。答えは言わずもがなで、時間が足りなくなるのは明々白々である。ではどうしたらよいのだろうか。何かを削るほかないだろう。ここから少し頭のトレーニングである。前述したアジェンダの例を基に発表時間の違いによるアジェンダのヴァリエーションを考えてみよう。

　発表時間が5分の場合、みなさんなら何を削るだろうか。5分の発表時間では、序論、本論、結論の大項目それぞれに2分の時間を割り当てることも許されない。各大項目に含まれていた中項目、小項目の詳細を全て説明することはできず、簡単に触れる程度にとどまってしまう。この場合、思い切って切り捨てることを検討しよう。その際、各中小項目のどの部分を重点的に述べたいかを吟味しよう。ここでは一例として、次のような5分でのプレゼンテーションの構成案を提示しておこう。

　例2）発表時間5分の時のアジェンダ
　序論：1－1）問題の背景と研究の目的（問いの設定）
　　　　1－4）自身の研究の立ち位置の明確化（新規性、独創性、
　　　　　　　優位性）
　本論：2－1）提示した目的に対して提案する手法
　　　　2－3）結果・評価
　結論：3－3）まとめ

　ところで、どんなに短い発表時間でも削ってはいけない3つの要素がある。それは、**問いの提示、自身の提案あるいは結論にいたるまでの議論、そして結論の3つ**である。問いが提示されなければ、何を問題としているのか、あるいは、どのような問題を解決しようとしているのかが

分からない。そして、その設定された問いに対して自分がどのように取り組み、それを解決するのか、その方法を提示する。あるいは、結論へ導くための議論を述べる必要がある。そして、最後に設定された問いに対する、自分の結論を述べる必要がある。この3点セットはどうしても省けない、必要な最小構成要素と言えよう。

では、発表時間が10分の時はどうだろうか。上述した発表例よりも時間の余裕がある。本来触れたかった項目に時間を割くことができる。しかしもともと10分ある、という前提でアジェンダを考えるのではなく、絶対に触れなくてはいけない5分のプレゼンテーションの内容に追加で5分加わったという感覚を持つことだ。こうすることで、余計な説明が紛れ込むことを未然に防ぐことができる。ここでは一例として、次のような10分でのプレゼンテーション構成案を考えてみた。

例3）発表時間10分の時のアジェンダ
序論：1 － 1）問題の背景と研究の目的（問いの設定）
　　　1 － 3）既存研究・現状の整理、体系化（競合分析）
　　　1 － 4）自身の研究の立ち位置の明確化（新規性、独創性、優位性）
本論：2 － 1）提示した目的に対して提案する手法
　　　2 － 2）手法の詳細説明
　　　2 － 3）結果・評価
　　　2 － 4）競合手法との客観評価
　　　2 － 5）考察
結論：3 － 1）残された課題
　　　3 － 3）まとめ

最後に、発表時間が15分以上ある時も基本的には5分、10分の時と同様の考え方で必要なものを盛り込んだ上で、さらに多くの余裕があると捉えるべきである。構成としては5分のヴァリエーションの際には少し項目を増やす程度だったが、10分の場合、それぞれの項目をもう少し

詳細に語ることができる。そして、時間に余裕があることで、上手く間を取ったり、話し方、ジェスチャーに工夫を入れたりなど、多様な表現の要素を盛り込みやすくなるのも、少し長めのプレゼンテーションならではの特徴である。15分以上の時のプレゼンテーション構成例は例1)の通りで進めて問題ない。

　ここで提示したのはあくまでも例であり、この通りである必要はもちろんない。しかし、5分の場合のプレゼンテーションの構成を考え、そこから10分の構成を、15分以上の構成を、と徐々に肉付けすることで、最初から余計な話が紛れ込むことを防ぐことができる。プレゼンテーション資料は必要最小限の構成を心がけねばならない。

　最初に述べたように、主張すべきポイントは少ない方が理解はしやすい。複数の主張が錯綜すると聴き手の理解度は下がる。だからアウトラインやアジェンダを作成する時は、シンプルな主張をまず目指すべきであり、それには最もシンプルな5分の構成が、発表を貫く背骨であるようにするとよい。言い方を換えれば、15分の発表時間があり、そのアジェンダを作る時は、まず発表のエッセンスだけの5分のヴァージョンのようなシンプルで明解なものを作り、それに徐々に肉付けをしていき、15分のヴァージョンに仕上げるようにするのだ。また、スライド1枚を1分の時間を目安に語ろう、という文献も少なくないが、それはあくまでも目安である。スライド1枚にもっと時間をかけてもよいし、少なくてもよい。そのスライドが重要な説明を含むスライドであれば、十分に時間を取っても構わない。

4　どのような資料が求められているのか

　発表の際に提示する資料は前述したように、大きく分けて2種類ある。1つは、当日のプレゼンテーションで投影・上映するスライド資料、あるいはポスター・セッションの場合ではポスター資料である。もう1つが当日、聴衆個々人に配布するレジュメなどの配布資料である。配布資料に関してはさらに2種類に分類が可能である。1つは文学研究など人文系でよく見られるが、プレゼンテーションのアウトラインなどの説明

や要約のほかに引用箇所を記載した資料である。もう1つは上映される
プレゼンテーション資料のコピーである。当日の会場の状況などでスラ
イド資料が見えにくい場合や聞き逃してしまった時に、手元でスライド
資料を確認するために配布するものである。またスライド資料には載せ
きれない情報を補足するための追加的な資料という位置付けを取ること
もあり、スライド資料のハードコピーのほかにスライドに掲出しなかっ
たデータなどを掲載して配ることもある。

　スライドにしても、紙媒体の資料にしても、共通して掲出しなければ
ならないものがあるので、ここで言及しておこう。それは**「参考文献一
覧」**だ。これはどのような資料媒体であっても、必ず最後に添付してお
こう。参考文献の書き方は複数あるので、実はやっかいだ。どのような
ものがあるかはそれについて解説した本があるくらいなので、非常に種
類が多いということが分かるだろう。とりあえず参考にするのであれば
『アカデミック・スキルズ　第3版——大学生のための知的技法入門』
の巻末の「附録」に「書式の手引き」に載っているので、調べてみてほ
しい。どの書式を用いるかは、その人が属している分野によって異なっ
てくる。だがどの書式を用いたとしても、必ず言えることは、統一され
た書式であるということである。

　最後にこれらの配布資料そのものについても研究分野によって流儀が
異なるので留意したい。分野によっては発表原稿も事前に配布すること
が求められる場合もある。多くの場合、執筆要綱や発表ガイドラインと
いう形で、どのような資料を準備すべきかを主催組織、特に学会発表な
どでは学会が提示していることがある。そのような指針が特にない場合
は過去の慣例に沿って発表するのが好ましい。もし発表が、ゼミや授業
での場合は、教員にあらかじめ質問して、発表形態を把握するのがよい
だろう。

8 さあ、スライドってどうやって作ればいいの？

1 なぜスライドを使うのか？

そもそも、なぜスライドを使ってプレゼンテーションをするのか。それは、原稿を読み聴かせるよりもアピール効果の高い、見せるプレゼンテーションをするためである。音声のみのプレゼンテーションでは聴き手の聴覚しか刺激しないが、聴き手の視覚も利用して、より伝えたいことを伝えようとするための補助資料がスライドなのだ。

しかし、スライドを使うことによって聴き手に伝える情報量が増え、情報過多になることでかえって分かりにくいプレゼンデーションになるのは本末転倒だ。聴き手にとってより分かりやすくならないのでは意味がない。では、分かりやすいとは何か。それは、理解するために時間がかからない、ということだ。つまり、分かりやすいプレゼンテーションとは、理解に要する時間が短いプレゼンテーションのことだ。理解に必要な時間が短ければ短いほど、より多くの情報をプレゼンテーションに詰め込むことができる。

そのためには、できる限り無駄な情報をそぎ落とし、シンプルに構成していくことが重要である。その上で、聴衆にとって直感的に理解できるスライドを作ることが肝要なのだ。この**直感的に分かりやすいスライド**を作成する方法は、習得可能な技術である。しっかり訓練さえすれば、誰でも習得できるのだ。センスなど必要はない。それらの要素について紹介し、気をつけるべき点について触れよう。

◉直感的で分かりやすいスライドを作る上で気をつける要素3点

聴衆の理解に要する時間を短縮するデザインとして心がけることとは、読ませるのではなく見せることを重視することだ。読むのには適しているデザインも、見せるのには適していない、ということがある。この点に注意していきたい。直感的で分かりやすいスライドを作る上で気をつ

けたい技術的要素は以下の3点に集約される。

・コントラスト：ハイライト、色、フォント、大きさ
・レイアウト：ブロッキング、グルーピング（近接、整列、反復）
・図解

上記三要素について次節で詳しく述べよう。

⦿コントラスト：ハイライト、色、フォント、大きさ

　スライド作成の初心者が陥りやすい傾向として、伝えたい情報を強調するために、色数を多く使ってしまうことがある。背景色や強調したいフレーズ、これらに使う色数が多い場合は改善すべき点として認識しよう。

　スライド作成に取りかかる際、まずはスライドデザインの基本を担う、テキストカラー、背景色、アクセントカラーの最低限三色を決めよう。そして、次にテキストフォントを決めることで、文字の大きさ、文字の強調表示によるハイライトが可能になる。まず、慣れないうちは基本的に背景色以外は三色以下でスライドを作成することを心がけてみよう。これ以上の色数を効果的に使うには、かなりの経験が必要だ。不用意に色数を増やすと、ゴチャゴチャした印象を与えることになる。背景色を白系統以外にしたり、写真などにしたりする場合は特に注意が必要だ。

　また、スライドで使用する色の選択に関しては、できる限り原色を使わない方がよい。原色は大きな存在感を与えるので、使い方を間違えると非常に見にくく、原色のコントラストでは目も疲れてしまう傾向にある。また色の選択で、見づらくなってしまうこともあるので気をつけよう。

　背景色とテキストカラーが同系色であればあるほど見づらくなる。そうした意味でも色の選択は大事だ。慣れないうちは、ベースカラーと呼ばれる背景色は無難に白系を選択し、テキストカラー（もしくはメインカラー）は黒系にしよう。この際、原色を使ってしまうと、少し存在感

が出てしまう印象を与えるので、コントラストを抑えた色、たとえば背景色の白色も原色のままを使わず、オフホワイトやベージュ系のものを使い、テキストカラーについても黒に近いグレー系にするとよいだろう。

　また、文字以外のメインカラーで、黒以外を利用する場合も、原色を使うのではなく、暖色系・寒色系など、その色が与える印象を考えながら、色を選択しよう。メインカラーの使い所は、スライド内での枠線や区切り線などで、これらを利用する際には、積極的にメインカラーを用いよう。そして、ハイライト（アクセント）カラーは、色相環で言うところの、そのメインカラーから遠い色、できれば正反対、つまり補色を利用するとよいだろう。テキストの中でハイライトをして強調したい場合はテキストカラーの補色を選択しよう。

ポイント！
・背景色→基本は白系。
・テキストカラー→基本は黒系。
・メインカラー→テキストカラーと同色でもよい。
・テーマ→スタイルテンプレートの基本色を選択。
・ハイライトカラー→警告色。メインカラーから遠い色（補色がよい）を選択。

　さらに、テキストに用いるフォントのウェイトを細かく選択できるものを利用すると、そのウェイトを操作することで強調表示することも可能である。フォントウェイトとは線の太さのことで文字の大きさのことではないが、太さを変えることで文字の大きさにも影響が出るものもある。フォントウェイトと文字の大きさの両方を調整し、ハイライトカラーを併用すると、より強調されることだろう。

　先に少し述べたが、スライド中に使用するテキストの書体、つまりフォントには十分気をつかおう。どれだけ頑張って文章を削っても、スライドの半分は文字情報になるだろう。これは仕方がないことだ。情報の半分をも占める文字のフォントに気をつかわないのはもったいない。いいフォントを選べば、それだけでスライドは倍くらい美しくなるので

ある。プレゼンテーションソフトの標準で設定されているフォントはできる限り使わず、見られることを意識してフォント選びをしていこう。

　さて、書体の話でよく聞く、ゴシック体あるいは明朝体とはどういう書体のことだろうか。また、同様によく聞く、SansSerif体やSerif体とはなんだろうか。

　Serifとは飾りのこと。ウロコとかヒゲとかヒゲ飾りという意味だ。一方で、SansSerif体はそれらの飾りがない書体のことだ。これを日本語に当てはめると、ヒゲや飾りのある書体が明朝体で、それがないのが、ゴシック体である。

　スライド資料は前述のように「読ませる」のではなく「見せる」ことを心がける。必然的にデザインの基本原則として、可読性（読みやすさ）よりも視認性（遠くからでもしっかりと字が認識できること）が求められる。そのため、視認性の高いゴシック体やSansSerif体を利用した方がよい。なお、明朝体やSerif体を使ってはいけない、というわけではない。しかし、慣れないうちは、ゴシック体やSansSerif体を用いるのがよいだろう。また、和文と欧文が混在する場合は、それぞれに対して、専用のフォントを割り振っておくことが好ましい。

　スライドはプレゼンテーションアプリケーション（マイクロソフト・パワーポイントなど）を用いて作成することになるかと思うが、アプリケーションが用意しているフォントのみで構成すると誰が作っても同じような画一的な印象を与えてしまう。そのような際には、無料で入手できるフリーフォントを利用するとよい。世の中にある美しいフォントは、えてして有料だが、無料で利用できるフォントでも美しいものもある。本書ではフォントの導入方法については詳しく述べないが、一般的な検索エンジンサイトで「美しい　フリーフォント」のような検索語でインターネットの世界を探検するとよいだろう。

　一例として、下記のような日本語のフリーフォントのまとめサイトのようなものがあるので、ぜひ自身で探してみよう。

「フォントフリー──無料の日本語フリーフォント投稿サイト
http://fontfree.me/」

コントラストとは「対比」のことである。テキストの中でひときわ目立つ装飾がされたフレーズがあれば、それだけ対比がはっきりし、より強調される。つまり、コントラストを有効に使うためには、強調させたい部分よりも、いかにその部分以外のベースとなるテキストの部分が統一されたものであるかが重要になる。つまりベースとなるテキストには、なるべく色数を少なくし、不用意に多くのフォント使わない、文字の大きさをそろえる、などの点を守ることで、コントラストを効かせた部分がより強調されることになるのである。

ポイント！
・いいフォントを選べば、それだけでスライドは倍くらい美しくなる。
・書体を混ぜると統一感が無くなり、読みにくくなることもある。メリハリのある書体の使い方を心がけよう！

◉レイアウト：ブロッキング、グルーピング（近接、整列、反復）

スライドを作成する際に、プレゼンテーションアプリケーションが提案するレイアウトやデザインテンプレートばかりを使ってないだろうか。前節のフォントの選択でも述べた通り、アプリケーションが標準で提供するレイアウトなどをそのまま使うと、見づらいレイアウトでスライドが作成されがちである。いくつかの点をおさえ、自分でレイアウト、配置を意識することで、グッとよいデザインになる。

まず、レイアウトの基本概念として、「近接」と「整列」がある。「近接」というのは、関連するものを近くに配置し、無関係なものほど遠くに配置する、という原則だ。つまり、配置される距離がそれらの関連性を視覚的に表してくれる。関連が近いものを近くに、関連がないものを遠くに配置しよう。次に示す2つのスライドを見ていただきたい（図9、10）。

前者（図9）は図とそのラベル（キャプション）との間が詰まっており、ラベルが上下のどちらの説明をしているのかが判別しにくい。また、全体を見た時、図の1つ1つに対する上下左右との図の余白が均一的に

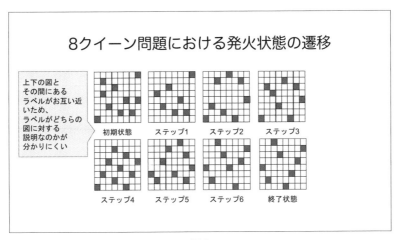

図9

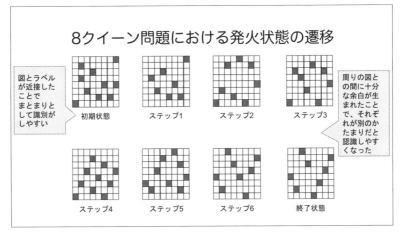

図10

なっているので、それぞれの関係性がないように見えている。

　一方、後者（図10）のスライドを見てみると、1つ1つの図に関して
は図と図に対するラベルの距離が縮まることで双方が関連していると直
感的に分かる。逆に、関連のない図との間にはより多くの余白がある。
左右に関しても同様だ。このため、近接された図とラベルがひとまとま

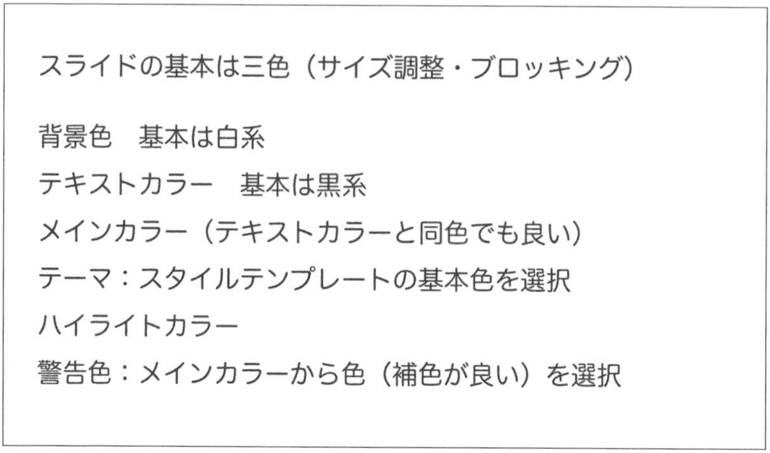

図11

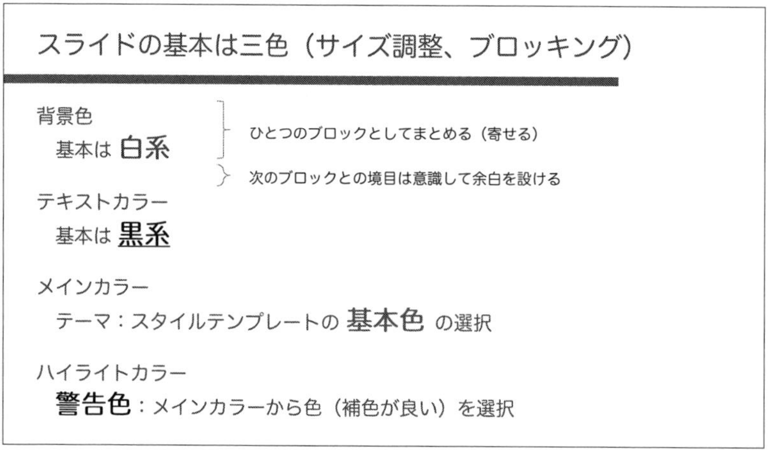

図12

りの塊であることが一目瞭然となり、全体的に整理された印象を持ちつつ、それぞれの図がすっきりと配置されている印象を受ける。これが「近接」の効果である。この「近接」の効果を活用したスライドが図12である。図11のスライドに比べて、まとまりがはっきりし、すっきりとレイアウトされている印象を受けないだろうか。関連のある要素を近

づけ、関連のない要素を離す、これだけですっきりとまとまった印象を与えるのである。

　次に、「整列」というキーワードについて説明する。スライドを作成する際に、何も考えずに文字や画像・図形をスライド上に配置していくと、実はピクセル単位で見ると、お互いの上下左右がそろっていない場合がある。空間の中の図形やテキストなどのオブジェクトを認識する際、人間は無意識のうちに見えない線を引こうとする。この線にそってオブジェクトがそろっているとまとまった印象を受ける。逆に、この線が無意識に引けないような配置だと、まとまってないと感じてしまう。この見えない線を意識し、それにそって配置をそろえるだけで、グッと整理されて要素がまとまった印象を与える。

　つまり、整列とは文字や図形を無造作にあるいはバラバラに配置するのではなく、きちんと端をそろえる、ということである。左寄せや右寄せで端を合わせた配置をすることで、より整理された印象を持つ。まず、次のスライドを見てみよう（図13、14）。

　このスライドではいくつか述べたい要素を配置してみたが、見出しと項目の幅や配置位置がそろっていない。このような不ぞろいな配置を見ると、それぞれが関連があるのかないのかが分かりにくく、まとまった印象が持てず不安を感じやすい（図13）。

　一方で、次のスライドを見てみよう（図14）。見出しと列挙される項目の幅と位置がきっちりそろってるため、非常にまとまった印象を受ける。また、見出しはそれぞれの項目と色を反転させることで強調し、これが見出しであり列挙された項目とは別だという印象を持たせることができる。このスライドでは「整列」のテクニックと前節で述べたコントラストのテクニックを同時に利用していたスライドの例である。

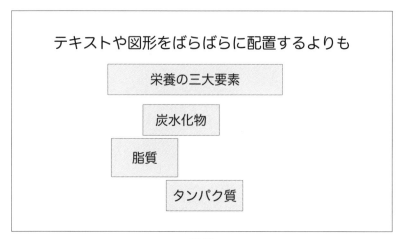

図 13

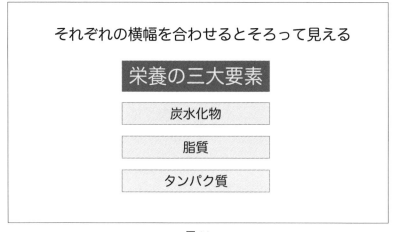

図 14

　もう1つ例を挙げよう。

　次のスライド（図15）は、テキスト部分が中央ぞろえにされているが、それぞれの端をそろえることでより整列された印象を与えることができる。それぞれのプレゼンテーションオブジェクト（図やテキスト）をそろえるためには、アプリケーションにもよるが、ガイドあるいはルー

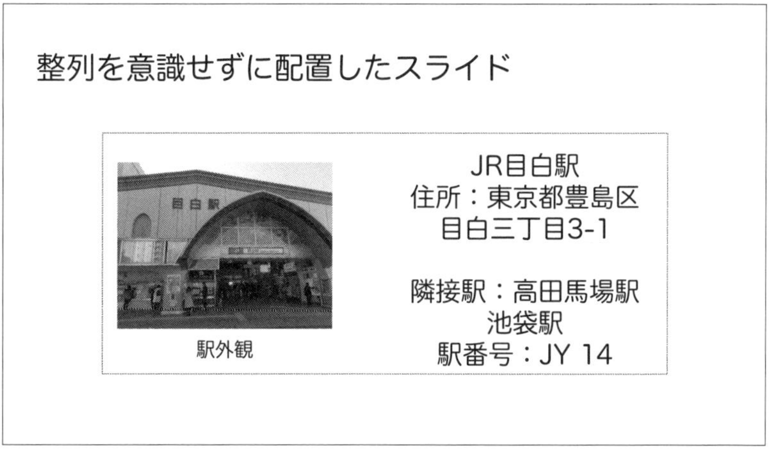

整列を意識せずに配置したスライド

駅外観

JR目白駅
住所：東京都豊島区
目白三丁目3-1

隣接駅：高田馬場駅
池袋駅
駅番号：JY 14

図 15

整列を意識して位置をそろえたスライド

駅外観

JR目白駅
所在地：東京都豊島区
目白三丁目3-1

隣接駅：高田馬場駅
池袋駅
駅番号：JY 14

図 16

ラーなどのスライド上に補助線を引いてくれる機能を用いよう。これを使って文章の端をそろえたり、画像を全体の箱に合わせてみたりしてみよう。このような整列のテクニックを意識して上記のスライドを修正したものが図 16 である。

　図 16 では、画像とテキスト部分の余白についても意識して詰めてい

る。これまで述べてきたことからみなさんの中には気づいた人もいると思うが、「近接」と「整列」の2つのキーワードに密接に関わるものとして「余白」がある。レイアウトをデザインする際には、この余白の使い方がその見栄えを左右する。余白とは文字が記されていない空いているスペース部分のことであるが、この余白が足りないということは、すなわち文字情報を詰めすぎていることにほかならない。

　余白を作る作業とは、文字情報を削除していく作業とほぼ同義である。そして、これら余白サイズを含め、ブロッキング、グルーピングの位置関係の一貫性がスライド全体の統一感を生む。一度決めたレイアウトを崩さずに最初から最後まで一貫していくことが重要である。このようにレイアウトに一貫性を持たせるために、同じように「近接」され「整列」された、なおかつ同じ余白の組み合わせが1つの機能として存在し、これがスライドの中で何度も繰り返されるデザインを「反復」という。デザインが機能的に反復されることで、スライド全体に統一感と一貫性を生む。

　スライドを作成する際に、テンプレート（スライドマスタ）を利用するのもこの反復の効果を狙う意図がある。スライドごとにデザインやレイアウトが変わるよりも、スライドを通して、ヘッダーやフッターを含めた配置を統一することで、全体の一貫性を保持するのである。スライド作成の上級者は、まず最初に着手するのが、テンプレートの調整である。あらかじめアプリケーションが用意しているデザインテンプレートから自分の発表に合うものを選択するだけでもよいので、発表の内容に適したものにカスタマイズして使っていこう。設定した1つのレイアウトのパターンを繰り返し使うことで、反復の効果を狙ったスライドになる。印象としてスライド内に一貫性があることが感じられるだろう。

ポイント！
・アプリだけに頼らず、自分でレイアウト、配置を行う意識を。
・レイアウトは「近接」「整列」を意識する。
・余白の使い方がスライドの出来栄えを左右する。

◉図と表

　図表、図形、画像など、文字以外の情報を上手く利用することがシンプルで分かりやすいスライドを作る重要なテクニックになる。スライド上に図表がある場合、初見ではそれらに対して最も目線が注がれやすい。したがって、文字情報と併用してスライドに図表を載せる場合は、原則、図表をテキストの左側、もしくは、テキストの上部に置き、視線の流れと逆流しないよう心がけると読み手に対して親切である。

　図と表の違いは明確にあるが、この違いを分からずに利用している人も少なくない。表とは原則表組み状態にされたもので、罫線と文字情報のみで作成されているものを指す。一方で、それ以外の図解されたものは全て図として扱う。つまりグラフなどは、多くの場合罫線と文字情報以外に、何かしらの図形も利用していることが多いので、図として扱う。このことを理解していないと、本来は表であるにもかかわらず、図あるいはグラフとして言及してしまうこともあるだろう。これは間違いなので、気をつけたい。

　図表をスライドで利用する際も、参照した書誌情報をできる限り提示しよう。また、図表のキャプション（タイトル）の位置にも気をつけよう。原則的に、図のキャプションは図の下部へ、表のキャプションを表の上部へ配置するのが慣例となっている。

　また、発表中、何度か言及することもある図表のタイトルには番号も添えておこう。図表番号があることで、一度触れた図表に対して再度言及することが容易になるので、必ず番号を振っておこう。以下では、スライドで頻出する図表の型をまとめた。説明したい事柄の性質に合わせて、選択しよう。

・図表の基本構造

図

- ・包含関係・重複関係：ベン図　情報の重なりや、包み込みを表す（上下関係や時間的な差はない）
- ・系統・組織関係：体系図　上下関係を表す（並列的な包含関係や時間的な差はない）
- ・時系列・因果関係：時間軸図　時間的、論理的流れを表す（包含関係や上下関係はない）
- ・折れ線グラフ　時系列の推移
- ・レーダーチャート　項目ごとの割合比較
- ・棒グラフ：数量
- ・折れ線グラフ：数量
- ・帯グラフ：割合
- ・円グラフ：割合

表：定性評価表、比較表、統計表

　ベン図（図17）とはもともと数学的な意味での集合の関係や範囲を図式化するために用いるが、そこから転じて、物事の包含関係や重複関係を表すために、汎用的に使われることが多い図である。

　時系列図（図18）では矢印などを用いて図示することで、時間経過、状態遷移、因果関係を表すことが多い。ベン図の時のような包含関係や体系図のような上下関係は表さないが、物事の流れや手順などを表すような場合にもよく用いられる。

　グラフで一番簡単に使えるのが、**棒グラフ、折れ線グラフ**に代表される主に数量を示すために用いるグラフと、**円グラフ、帯グラフ**に代表される主に割合を示すために用いるグラフであろう（図19）。グラフは、特に定量的に示したい時に利用されることが多い。数量の大小や、数量の増減、全体から見た特定項目の割合、といったものが視覚的に分かりやすいのが特徴だ。

　ここからは表について考えてみよう。表とは罫線と文字情報のみで作

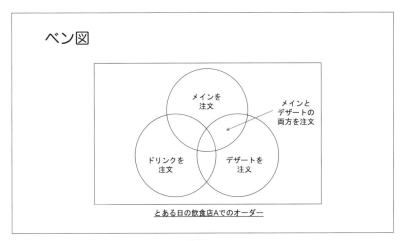

図 17

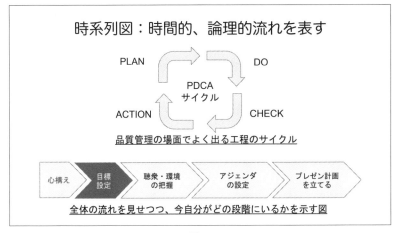

図 18

成されているもの、と述べてきた。表は定量評価、定性評価あるいは比較をしたい時に非常に効果的な武器になる。自分が説明したいことが表組みとして起こせないか見直し、表を作成した方が聴き手にとって分かりやすいとなれば積極的に使っていこう。

　しかし、表を作成する際に四方全てを罫線で括ると非常に詰まった印

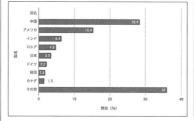
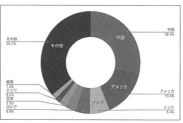

図 19

同じ表組みでも、罫線の密度で印象も変わる

表1. 平成30年度　学校基本調査　大学院の専攻分野別学生数
（修士課程）【単位：人】

	男性	女性	合計
合計	112,061	51,057	163,118
人文科学	4,064	6,217	10,281
社会科学	9,261	7,050	16,311
理学	11,155	3,303	14,458
工学	58,149	8,717	66,866
農学	5,435	3,421	8,856
保健（医・歯・薬・他）	5,409	6,798	12,207
商船	38	16	54
家政	132	745	877
教育	4,208	4,216	8,424
芸術	1,390	3,014	4,404
その他	12,820	7,560	20,380

表1. 平成30年度　学校基本調査　大学院の専攻分野別学生数
（修士課程）【単位：人】

	男性	女性	合計
合計	112,061	51,057	163,118
人文科学	4,064	6,217	10,281
社会科学	9,261	7,050	16,311
理学	11,155	3,303	14,458
工学	58,149	8,717	66,866
農学	5,435	3,421	8,856
保健（医・歯・薬・他）	5,409	6,798	12,207
商船	38	16	54
家政	132	745	877
教育	4,208	4,216	8,424
芸術	1,390	3,014	4,404
その他	12,820	7,560	20,380

図 20

象を与え、強調させたい箇所が強調されなかったり、情報がすんなりと
入ってこなかったりすることもある。時には思い切って表の要素の背景
色や文字色を変えたり、枠線となる罫線を部分的に外すことも必要にな
る。状況に応じて、工夫をしてみよう（図20）。

　表にすると数値などの全ての情報を記載することができるため、細部

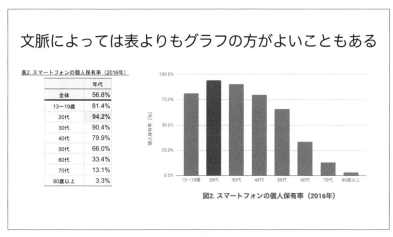

図 21

まで見せたいときは非常によい表現方法ではある。しかし、数値の増減
傾向などを見せたい場合には表はあまり向いておらず、棒グラフや折れ
線グラフで見せた方がよい場合もある。そのような場合は、表組みの表
現を捨てて、グラフに置き換えることも検討しよう（図21）。

　いずれにせよ、説明する文脈によって図表を使い分ける必要があるた
め、スライドで図表を使う意義をよく考えてから利用しよう。図表を使
う意義としては、情報を整理して提示することができること、要点ある
いは重要な情報を図表にすることで強調できること、そして、文字や文
章のみより視覚的にアピールできることが挙げられるだろう。格好がつ
くからという理由だけでやみくもに図表を使うのはやめよう。図表を使
うことで、本当に効果的であるか、図表を提示する際に自分に何度も問
いかけてみよう。

　図解することに関して最後に強調したい点がある。それは、視覚的に
非常に効果のある図解ならではの問題として、意図的にグラフの印象を
操作し、聴衆を誘導することが容易なことが挙げられる。意図的に読み
手の印象操作をするようなことは決して行わないようにしよう。実際に、

世の中でもこのような印象操作と取られかねないような、グラフの操作が行われていることが数々報告されていて、物議を醸している。図解する目的は、あくまでも言葉では伝わりにくいことを、視覚的に表現してあげることで、聴き手が直感的に分かりやすくすることである。図解する際には、ありのままの事実上の数値で勝負するようにしよう。

　以上のように、ここまで本節で触れてきたこれら3つの技術は大変重要である。ぜひ、全ての技術を習得していただきたい。その上で、具体的にどのようにして過剰な情報をそぎ落とし、より分かりやすいプレゼンテーション資料を作るかについて次節で触れていく。

2　スライドは諸刃の剣──求められる「適度な」情報量

　Keep it short and simple、いわゆる KISS の原則というものがある。不必要な冗長性や複雑性を排除し、より簡潔に、より単純にまとめていくことがよいとされる、プレゼンテーションの基本原則のようなものだ。この原則を実践すると、プレゼンテーションではスライドの文章を読ませるのではなく、スライドを見せる、ということに置き換えられることが分かる。そのために視覚的に、色味がうるさくなく、コンテンツがゴチャゴチャに混ざったものでもなく、すっきりとしたものを目指すべきである。内容に関しても、スライドに情報を詰め込みすぎて、論点やポイントが複数あるものよりも、スライド1枚にポイントが1点に収まっているほうがよい、ということになる。ここからはスライド1枚に載せていく適切な情報量について述べていく。

　口頭発表もレポート・論文も分量を長くするよりも短くすることの方が難しい。作成している当人は、自分がこれまでにやってきたことを一番理解し、その苦労も知っているので、つい全てを語ろうとしてしまう。しかし、聴き手にはそれらの努力は関係なく、そもそも興味がないことの方が普通である。多くの場合、聴き手が口頭発表で知りたいのは、問題解決の方法論や結果だ。つまり、アウトプットという最終的な成果物にしか興味がない。苦労話は求められていないのだ。伝えるべきエッセンスだけを伝えるようにしなければならない。しかし無駄な情報をそぎ

落としながら、なおかつ、伝えたいことが相手に十分に伝わるようにする、というのは非常に難しく、ある程度訓練が必要な作業である。

　たくさんの説明を載せたにもかかわらず、スライドが分かりにくい、あるいは、伝えたいポイントが的確に伝わらない原因としては、以下のような理由が考えられる。

・長い文章を載せすぎている
・小さい字が多用されていて読みきれない
・文章だけで直感的に理解できない
・十分な情報は提示されているが整理されていない

　このようなスライドを作ってしまってはいないだろうか。沢山の調べ物をしたので、隅々まで説明を網羅したい気持ちになるのは理解できる。しかし、それが読み手、聴き手の理解の助けになっているか、その視点でスライドを見直してみよう。

◉図解の重要性

　多くの場合、沢山の文章を表示するよりも図表やイラストを示したほうが直感的に伝わる。文章で全てを語ることが説明の理解を助けるとは限らないのだ。冗長な文章で表現しがちな、小難しく長い文章が続く場合は、文章をごっそりと図解させて置き換えることで、聴き手の理解を促す効果も期待できる。

　図22のようなスライドは、用語の定義に参考文献を全文直接引用したり、ある現象や仕組みなどを詳細に説明したりする際によく見かけるだろう。多くの場合、文字が小さくなり情報が詰まっている印象を与え、単純に読めない、という可能性も出てくる。結果として、聴き手に読めない、理解できない、眠くなる、説明を聴きそびれる、という悪循環が生まれる。そもそもなぜ定義を引用したのか。それは、そのことについて知ってもらうこと、定義の中で大事なことを強調したいからであろう。

多層パーセプトロンのニューロンモデル

● 多層パーセプトロンのニューロンの入力値

○ 多層パーセプトロン、主に三層パーセプトロンでは、入力層、中間層、出力層のそれぞれの層に並列に配置されたニューロン（ユニット）が入力と出力を行う。層と層の間ではシナプス結合によってネットワークが接続されている。

○ それぞれのニューロンの出力値とシナプス結合係数は個々の接続によって異なるため、次の層の単体ニューロンに対する入力値は多少複雑な計算を伴う。具体的には前層の全てのニューロン出力とそのシナプス結合係数の積和を求めることで、次の層の各ニューロンへの入力値が求められるのである。

図 22

多層パーセプトロンのニューロンモデル

● ニューロンの入力値

○ 前層の全てのニューロン出力とシナプス結合係数の積和から求まる

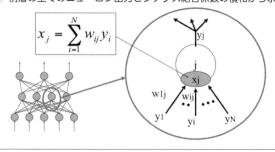

図 23

説明を細かくしようとする結果、どうしても文章が多めになってしまう場合は、図解できないか検討しよう。図 22 で示したスライドを図解した図 23 のスライドを見ていれば、どちらの方がすんなりと理解が進むか一目瞭然だろう。

⊙伝えたいことをできる限りシンプルにする

　スライドがゴチャゴチャしてしまう理由として、レイアウトやハイライト、あるいは、構造的な欠陥が原因として考えられる。分かりにくくなる原因として、以下のようなものが挙げられる。

・議論や主張が複数あり、どこが一番伝えたいポイントなのかが理解しにくい
・思いつくままに情報をスライドに並べている
・スライド1枚にまとめすぎている
・いくつもの箇所を強調しすぎる　多くのものを強調すると、結果として強調されない

　例として図24のスライドを見ていただきたい。伝えたいことが多いため、たくさんの情報を述べてしまっている。また思いつくままにそれらを載せている。結果、スライド1枚に必要以上の情報が詰め込まれている。また、強調したい点が多数存在し、下線によるハイライトを多用した結果、強調したい部分がかえって埋もれてしまっているのが分かるだろう。

　このようなことに陥らないためにも、スライド1枚で伝えたいことを1つまでとすることを大原則とし、連続して伝えたいことがある場合はポイントを3つまでに抑えることが大事である。スライド内で多くのことを語ろうとすると、どうしても箇条書きの項目が増えすぎてしまい、横方向にも縦方向にも文字が並んでしまう傾向になりがちである。このような場合は、思い切ってインデントを1つか2つまでに削減し、必要に応じて別のスライドで各々の項目について詳細に解説するとよいだろう。このように必要以上の情報を削減することに成功すれば、その中から強調したいポイントが強調表示され、直感的に強調箇所が分かるようになる。
　このようなことを心がけるだけで、1枚のスライド内に多くの情報を

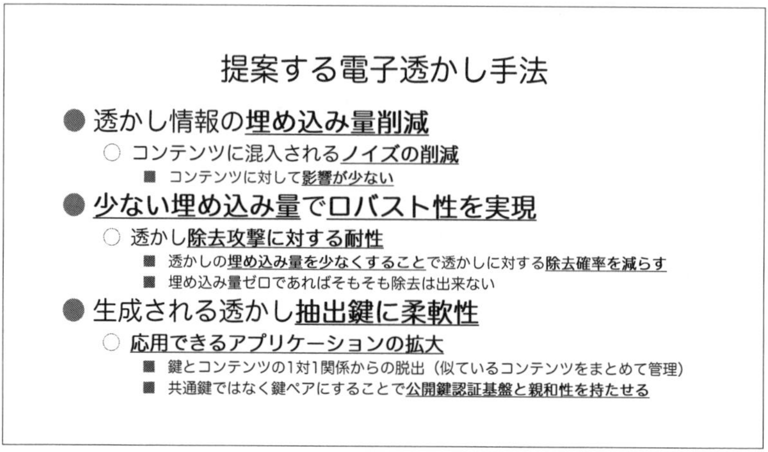

図 24

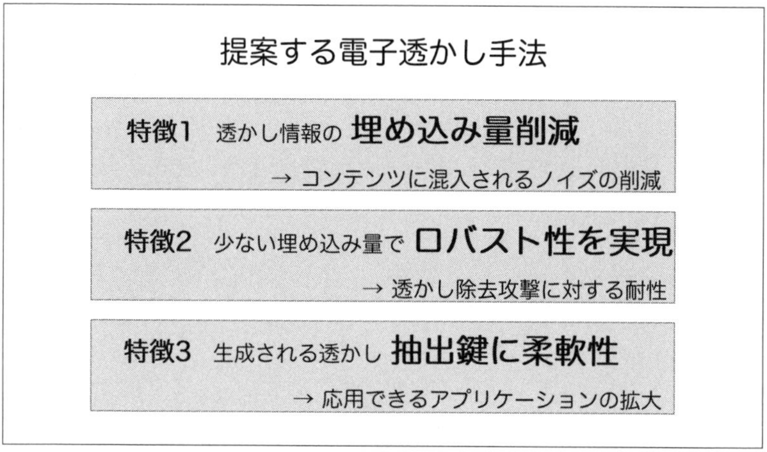

図 25

埋め込みすぎることを防ぐことができ、よりシンプルなスライドの作成が可能となるだろう。図25はその心がけを意識して修正したスライドになる。どちらの方が分かりやすいか、比較していただきたい。

　ここまで、情報をそぎ落とすことについて述べてきた。それは聴衆が

プレゼンテーション資料を理解するまでに必要な時間を減らすことを目的としている。理解に必要な時間を減らすためには、プレゼンテーション資料を見て、できる限り、直感的に分かるような構成、見栄えにする必要がある。

　最後にもう一度言おう。直感的に分かりやすいスライドを作成する方法とは、習得可能な技術である。つまり、しっかり訓練さえすれば、誰でも習得できるのだ。先天的なセンスなど必要としない。必要以上に怖がらずに取り組んでいただきたい。

◉まとめ

　本章では、スライド作成をするに当たり準備すべきことを述べてきた。まず載せるコンテンツ（内容）について吟味する。また、同時にスライド全体のデザイン、レイアウトを決めていく。続いて、載せたいコンテンツの性質を踏まえた上で、どのように表現すべきかを検討する。コンテンツを載せていく上では、この**デザイン・レイアウトのマイ・ルールを最後まで遵守すること。スライドのデザイン・レイアウトに一貫性を持たせることで、安定感、安心感が生まれる。**

　スライドを作成する際には、中身を書き記すよりも先に、これらのマイ・ルールを決めてしまい、それに則りコンテンツを埋めていく、という作業スタイルにしていくことがとても大事なのである。最後に、スライドが完成したら何度も見直し、分かりにくい箇所がないかをしっかり確認し、必要に応じて修正をしていこう。これを滞りなく遂行するためには、しっかりとした作業時間の確保が重要になる。研究全体のスケジューリングも大事だが、読み上げ原稿の執筆時間はもちろん、プレゼンテーションスライドを作成する時間の確保にも十分に気をつけよう。

第3部

実践編
さあ、プレゼンテーションに挑戦！

9 ‖ ついに、本番！

　いよいよ本番直前になると、緊張感も高まってきて、本番当日はその緊張が頂点に達するはずだ。第3部では、プレゼンテーション直前から、プレゼンテーション当日まで、どうしたらよいかを考えてみよう。ここでは、まずはプレゼンテーション直前の対策、次にプレゼンテーション当日、さらにはプレゼンテーション時の注意すべきことなどを概観してみよう。

1　リハーサルは必須！

⊙プレゼンテーションにかかる時間を知ろう！
　原稿とスライドの作成が終えたら、リハーサルを行ってみよう。このリハーサルは非常に大切である。特に初めてプレゼンテーションに臨む人で、自分のプレゼンテーションが何分かかるか正確に知っているような人でなければ、必ず行うべきだ。
　「何分かかる」とはっきりと言える人は、問題ない。しかしプレゼンテーションに慣れていない初学者は原稿を作っただけでは、それが何分かかるか分からないのが普通だ。規定時間を5分オーバーするのか、それとも3分余ってしまうのか、この段階では分からない人がほとんどだろう。そのため、本番で自分の作った原稿を読んでみたら、5分以上時間が余ってしまったり、あるいは逆に5分以上オーバーしたという事態になってしまったりする。プレゼンテーションに慣れてくると、読むスピードを調整したりして制限時間に収めることができるし、どれくらいの分量だと何分かかるのかが分かるようになってくるが、初学者にはそれは無理だろう。それならば、練習をして、自分のプレゼンテーションが何分かかるか確認し、少ないなら文言を足し、多いなら文言を削るということをしなければならない。

なぜプレゼンテーションに要する時間を認識する必要があるのだろうか。言うまでもないが、プレゼンテーションは、時間を厳守することが鉄則だからだ。発表者が複数いるプレゼンテーションに求められているものは、機会の公平性だ。一人何分という持ち時間があるにもかかわらず、一人だけ時間をオーバーして平気でいつまでも話している人を見てどう思うだろう。「その人だけ長く話してずるい！」ということになるだろう。これでは公平性に欠ける。

　また時間をオーバーすると、その後にプレゼンテーションする人に迷惑をかけてしまうことになる。極端なことを言えば、たった一人の時間オーバーの影響で、次の発表者が極端に短い発表時間になってしまうということにもなりかねない。これは特定の発表者の公平性の意識の欠如が生み出す悲劇だ。こうした悲劇を生み出さないためにも発表時間内にプレゼンテーションを必ず収めるべきだ。長大なプレゼンテーションを「どや顔」でするのは、その人の自己満足にすぎないのである。

◉緊張することを防ぐ

　ところで、もしすでに何度かプレゼンテーションを行ったことがあれば、次のようなことを経験したことはないだろうか。

- ・本番当日、声がうわずってしまった、あるいは第一声がなかなか出なかった。
- ・スライドの切り替えを忘れてしまい、一方的に話してしまった。
- ・原稿を棒読みしてしまった。
- ・ずっと下を向いたまま原稿を読み上げていた。
- ・原稿を読んでいて、意外とつかえてしまった。

　これらに共通することは何か。それは最後の「原稿を読んでいて、意外とつかえてしまった」を除くと、緊張した結果、起こった現象だ。もしこれらに思い当たるなら、やはりリハーサルをした方がよい。

　本番当日、声がうわずってしまったり、声が震えたりしたといった経

験はよく聞く話だ。大勢の前でのプレゼンテーションは、慣れていない
と、壇上で自分に一斉に視線が集まるので、思わず緊張してしまう。そ
れは仕方のない、いやむしろ、自然なことである。しかし何度もリハー
サルをしておけば、まったく緊張しなくなるということはないが、緊張
は緩和される。そう、リハーサルをすれば、時間内にプレゼンテーショ
ンが終わるかを確認できると同時に、当日の発表時の極度の緊張を緩和
することもできるのである。そうすれば、緊張のあまり原稿を棒読みし
たり、原稿に気を取られ、スライドの切り替えを忘れてしまい、喋って
いることに対応していないページがひたすら映し出されるといったりし
た事態は避けられる。

　時間を守ることが重要で、さらに本番当日に頭が真っ白になってしま
う事態や極度の緊張状態に陥らないためにもリハーサルは必要であると
いうことを分かってもらえたら、「善は急げ」である。知人や友人に集
まってもらい、本番同様のプレゼンテーションをしよう。本番さながら
のプレゼンテーションをすることで、本番時に起こりうる問題点を浮き
彫りにできる。そして、友人や知人にプレゼンテーションの内容を
チェックしてもらい、問題点を挙げてもらおう。自分では分かっている
ことでも、他人にはよく理解できないということは多々あることだ。も
し友人・知人を前にして練習をするのが無理であれば、自分でストップ
ウォッチを持って時間を計りながら声に出して本番さながらに練習をし
てみるとよい。これだけでも修正すべき問題点がいくつも見つかってく
るはずだ。

　最後の「原稿を読んでいて、意外とつかえてしまった」については、
書き言葉と実際に話す言葉遣いは違うということを意識することだ。発
表原稿の場合、どうしても上手く口が回らない表現が出てきてしまうな
ど思わぬ障害に直面することがある。特に漢語は上手く口が回らないこ
とがある。また人間は書く時の語順の癖と話す時の癖が微妙に異なる場
合がある。その時は話す時の癖にあわせて原稿を書き換えよう。リハー
サルをすればこうした点に気づくことができ、言葉を換えるなどの調整
や修正ができることになる。

リハーサルでまったく思い通りにいかなくて、落ち込むことがあるかもしれない。しかしそのたびに原稿に手に入れ、読み直しをすること、つまり練習をくりかえせば、やがて理想のプレゼンテーションに近づいてくる。

2　配付資料の印刷

　当日、スライドを用いながらプレゼンテーションをするにしても、資料を配付した方がよい。耳にたこができるかもしれないが、みなさんが前提として考えなくてはいけないことは、自分の中では論理がつながっていて、整合性のつく展開であっても、聴衆は初めて聴くことなので、何を言いたいのか、どこに向かっているのか、今、自分は論の展開のどのあたりにいるのか、といったことを常に分かるようにしてあげないと、話を理解できなくなってしまうということだ。とにかく、**みなさんが考えている以上に聴衆は、話を理解できないもの**なのである。だからみなさんの話を理解してもらうための道具が必要になってくるのだ。その1つがスライドなのだが、もう1つは配付資料である。

　配布資料は、さまざまなものがあるが、もしスライドを使うのであれば、最低でもスライドの全ページを印刷したものを配布した方が、聴衆は理解しやすくなる。一方、スライドを使用しないのであれば、別に紙媒体の資料を作成する必要がある。いずれにしても資料はどんな形であっても配布した方がよい。

　配布資料の印刷部数であるが、演習やゼミなどの授業であれば、履修者数は分かっているので、何部印刷すればよいかはだいたい見当がつく。万が一のことを考えて履修者数の10％増しぐらいの部数を印刷しておいた方がよいだろう。しかし不特定多数が出席する可能性がある何かの大会のような場合はどうすればよいのか。主催者から最低、何部用意して下さいと連絡があったり、主催者で準備してくれたりすれば問題はないが、そうでない場合は、自分の経験から判断するしかない。そのためにも大会や発表会に出席した時は、どれくらいの聴衆が集まっているのか、観察しておくとよいだろう。いざ自分がプレゼンテーションをするとい

う時の目安になるだろう。初めての経験でどうしても見当がつかないという場合は、主催者に問い合わせてみよう。だいたいの数を教えてくれるはずである。

また当たり前のことであるが、配布資料は、ステイプラー（ホチキス）で止めておいた方がよい。

とにかく最後は、全ては聴衆に理解してもらうことと考えて、準備をしよう。原稿を見直すのも、リハーサルをするのも、配付資料を印刷するのも全て聴衆に理解してもらいたいからだ。そのことをまず考えれば、おのずと何をすべきかということは分かってくるだろう。

3 F君の失敗

さていよいよ発表当日である。プレゼンテーション、発表といっても、演習などで行う発表から卒業論文の中間発表、さらには何かの大会のような大規模なもの、たとえばプレゼンテーション・コンペのようなものまでさまざまである。規模が大きくなればなるほど、緊張の度合いも高くなるはずだ。それは自分の知らない人、場合によってはその分野の権威の人が聴衆となる可能性があるからだ。しかしゼミや演習の教室でのプレゼンテーションでも大会でのプレゼンテーションでも、プレゼンテーションに臨む態度に変わりはない。ここでは、そうしたプレゼンテーション本番で気をつける点を考えてみよう。まずは、F君の失敗談から見てみよう。

ケース12

今日はF君が所属する法学部が主催する年に一度のプレゼンテーション・コンペの発表当日。F君は提出したレポートが評価されて、発表者に選抜され、10日ほど前からプレゼンテーションの準備を始めていた。しかしF君はこの日、家を出る直前まで、原稿を手直ししたり、スライドも作り直したりしていて、当初、予定していた時間より遅く家を出ることになってしまった。プレゼンテーション・コンペは午後1時から始まることになっていて、F君は最

初の発表者だった。大学までは約1時間かかるので、F君は11時30分すぎに家を出た。ところが電車に乗っていて、二駅目まで来たとき、車内アナウンスで、「急病人介護のため、しばらく停車します」との放送があった。F君は焦ってしまった。10分以上、停車した後、電車は動き出したが、どういうわけかその後ものろのろ運転を続け、大学の会場に着いた時は、プレゼンテーションの直前になってしまった。慌ててスライドをPDFにしたものを3枚、配ったのだが、ステイプラーでとめていなかったので、聴衆は、順番が分からず混乱してしまった。

　走ってきたので、息も荒く、汗もかいていたが、休む間もなく、すぐにプレゼンテーションの順番になってしまったので、慌てて持参したノートパソコンを接続して、スライドを映し出そうとしたのだが、どういうわけかプロジェクターがスライドを映し出してくれない。F君は頭が真っ白になってしまった。手当たり次第にパソコンのキーを押したが何の反応もしない。見かねた一人の先生が、事務室に連絡してくれると、職員が会場にやってきて、操作をすると、あっという間に映るようになった。この時、F君はあぶら汗がじっとりと額に出ているのを感じていた。

　プロジェクターが無事映るようになったので、F君のプレゼンテーションが始まった。しかしプロジェクターの問題で、F君は完全に舞い上がってしまい、用意した発表原稿を一気にまくしたてるように読み上げた。15分間の発表時間だったが、一気に読み上げたせいで、12分でプレゼンテーションを終えることができた。家で練習した時は、20分以上かかっていたのだが……。

　プレゼンテーションは、制限時間の1分前で1回、制限時間に達すると2回ベルがならされることになっていて、2分以上延長するとベルが連打され、強制的にやめさせられる仕組みになっていたので、結論を述べられないという最悪の事態は免れることができ、F君はほっとしていた。

　ところが質疑応答になると、誰からも質問がでない。実はF君

は質疑応答が嫌で仕方がなかった。どんな質問が上がってくるが分からなかったし、質問に答えられず、壇上でもじもじすることになるのは最悪だと思っていた。そのため質問がないことに内心、ほっとしていたことも確かである。しかし誰も挙手せず、沈黙が続くと、さすがにＦ君も居心地が悪くなり、「早く質疑応答の時間が終わらないかなあ」と思い始めた時、ある先生が発言した。

「君の発表は、単なる自己満足にすぎない。時間内に原稿を読み終えればよいというものではない。早すぎて何を言っているか分からない。聴いている人の理解をまったく無視した発表で、学問的な誠意というものが一切感じられない。こういった言い方をしてもよいなら、学問と聴衆を愚弄している」。

Ｆ君は先生のあまりにも厳しい言葉に立ち直れそうもないくらい打ちのめされた。

このＦ君のプレゼンテーションであるが、ありえないことが次々と起こっていて、読んでいるみなさんは、こんなことはないと思うかもしれないが、実はいざ、プレゼンテーションとなるとＦ君と同じような状況に陥りかねないのである。ではこうした状況にならないための転ばぬ先の杖はどのようなものなのだろうか。

4　どんな服装？　やっぱりスーツ？

プレゼンテーションの際の服装であるが、スーツ着用などのルールがある場合は、それに従う必要があるが、そうでなければ、もちろんプレゼンテーションのためにわざわざスーツを新調する必要ない。それよりも男女ともに、聴衆に対して見苦しくない格好であることに気をつけるべきである。見苦しくない格好とは、高価な服を着用することではない。清潔な印象を与えることである。極端なことを言えば、清潔であれば、Ｔシャツにジーンズでも問題はない。スティーブ・ジョブズはプレゼンテーションをする時、いつも黒のＴシャツに黒のジーンズだったのを覚えている人もいるだろう。

清潔な印象を聴衆にもたらすには、どうしたらよいだろうか。それはたとえばシャツやブラウスに皺がない、パンツの折り目がはっきりしているといった程度で十分、清潔感は演出できる。逆の言い方をすると、シャツやブラウスにアイロンがかかっていない、パンツの折り目が消えかかっている、あるいはすでに消えているものは、あまり清潔感がある印象をもたらさない。たとえ自分の知っている大学の先生が、もじゃもじゃ髪でふけがいっぱいで、シャツはアイロンもしたこともなさそうで、パンツも折り目が消え、裾がすり切れていたとしても（たぶん、こんな先生はいないと思うが）、それを真似する必要はない。もちろん何らかの戦略、あるいは何らかの意思表示で、あえてそうした服装をすることも考えられるが、それはプレゼンテーションなれしたベテランの技であって、初心者には勧められない。

　清潔であれば、何でもよいとはいっても、何か指針になるようなものがあった方がよいだろう。確かにジョブズを真似てTシャツとジーンズは大胆すぎる。この格好が大胆すぎるのであれば、一番無難なのは（先ほどの記述と矛盾するようであるが）、男女ともスーツであろう。スーツでないというのであれば、男性であればジャケットにネクタイ着用、女性であればスカート着用、そうするとフォーマルな印象が強くなる。

　ところでなぜ服装にこだわるのだろうか。服装に気を配るのは、発表者が堂々とプレゼンテーションしているという印象を与えるためである。発表者が堂々とプレゼンテーションしてくれなければ誰もプレゼンテーションを聴く気になれない。話し手が自信をもって堂々としているからこそ、話の内容を理解し、疑義があったらそれについて議論しようという気になってくるものなのである。そのための第一歩が服装なのである。

5　会場に行く時間は？

　基本的にはプレゼンテーションの開始時間の30分前には会場に到着しているようにしよう。何が起こるか分からないからだ。F君のように電車の遅延があるかもしれないし、不意に腹痛に襲われるかもしれない。それを考えると早め早めに行動した方がよい。

またどうしたわけか、本番当日に限って、いろいろなトラブルが発生するものである。昨日までは上手くいっていたのに、本番の時になると、あらゆることがダメになることがある。もちろん単なる偶然なのだが、当日、家を出る直前にプリントアウトしようとしたら、インク切れになってしまって、印刷できない。近くのコンビニで資料を印刷しようとしたら、コピー機が故障していて、コンビニを探して走り回った。持ち込んだノートパソコンをプロジェクターが認識してくれない。とにかく普段は円滑にできたものが当日に限って上手くいかないということが起こる。

　もちろん誰かの作為ではないし、ましてや陰謀でもない。だがトラブルはどういうわけか当日になって起こりやすい。しかし冷静に考えれば、理由はだいたい思いつくものだ。たとえば前日に何度も何度も書き直し、そのたびにプリントアウトをして、インクを浪費してしまっていた。あるいは持ち込んだパソコンが会場と違う動作環境であったため、設定を変更しなければプロジェクターに映らなかった……。しかし焦っている時に限ってトラブルは発生しやすい。そして人間は、こうした日常、円滑にできていたものができなくなると、一種のパニック状態に陥り、頭が真っ白になってしまい、何も手がつけられなくなることがある。それを防ぐには、冷静になれる時間を考えて、時間に余裕を持って行動することだ。

　また上記のＦ君は、電車の遅延があっても、会場にぎりぎり到着できた状況だが、最悪なのは、発表開始時間に間に合わない場合だ。普段の授業でのプレゼンテーションでも、遅刻をすれば、担当の先生からしかられる。ましてやプレゼンテーションの大きな大会の場合、当人が来なければ、何も始まらないばかりか、次にプレゼンテーションする人、わざわざ時間を割いて聴きに来た人など大勢の人に迷惑をかけることになる。遅刻だけは絶対にしないよう、あらかじめ、家を出る時間を確実に計算しておくべきだ。

6　会場に着いたら、とにかくうろうろ

　会場となる場所に着いたら、まず確認しておくべきことは、実際にプ

レゼンテーションをする会場や教室の場所である。大学であれば何番の教室なのか、どれくらいの規模の教室なのかをまず確認しておこう。普段の授業で使っている校舎なら迷わないが、大学の構内は意外と広いので、あまり立ち入ったことがない建物だったり、初めての場所だったりすると迷ってしまい、目的地に辿り着くまでに意外と時間がかかってしまうことも多い。

　またパソコンでスライドを使うのであれば、スライドがスクリーンにちゃんと映るか必ず確認しておかねばならない。Ｆ君のように持参したノートパソコンをプロジェクターに接続しても「信号を受信できません」という警告が出るだけで反応してくれないことがあるのだ。もちろんほとんどの場合、トラブルなく映るのだが、用心に用心を重ねて、確実にプロジェクターが映し出してくれることを確認した方がよい。またパソコンそのものを持参したが、プロジェクターと連結するアダプタの規格が違っていて、連結できないという事態も考えられる。思い当たる人は、規格の異なったアダプタの接続が可能かどうか、事前に問い合わせておいた方がよいだろう。

　さらに注意したいのは、スライドそのものは映るのだが、スライドに埋め込んだ動画や音声が反応しないということがある。原因はいろいろ考えられるが、こういった場合は自分だけで解決しようとは考えず、専門の職員などに連絡して対応してもらうべきである。慣れないことをあれこれするよりも、専門の職員に対応を頼んだ方が、問題は早く解決し、時間のロスは少なくてすむ。

　Ｆ君は時間がなかったため、会場でスライドが映るかどうかを確認することができなかった。するとスライドが映し出されず、このことで動揺してしまい、プレゼンテーションでは頭が真っ白という状態に陥ってしまったわけである。

7　よいプレゼンテーションをするには

　いよいよ自分のプレゼンテーションの番が回ってきた時、Ｆ君のようにならないためにはどうすればよいだろうか。プレゼンテーションは話

した内容を聴衆が理解し、納得してくれることが重要である。自分の話す内容がよいから、すばらしいプレゼンテーションではないのだ。自分の主張を聴衆に納得してもらってはじめてよいプレゼンテーションだと言われるのである。そのためにはどうしたらよいのか。

　まずは先ほどのF君の取った行動から見てみよう。ここには大きな問題点がある。それは、緊張のあまり、原稿を一気に読み上げたということだ。これは典型的な最悪のプレゼンテーションだ。ではよいプレゼンテーションをするにはどうすればよいだろうか。

　よいプレゼンテーションとは今まで述べたように聞き手が内容を理解し、納得してくれるものである。そのためのポイントは次の3点に集約されるだろう。

　・プレゼンテーションの内容の充実度
　・発表者の見た目のよさ
　・発話態度のよさ

　最初に掲げたプレゼンテーションの内容については、これまでの章ですでに説明してきた。どうすれば発表内容を聴衆が理解できるよう組み立てられ、よりよい仕方でアウトプットできるかはこれまで述べてきたことなので、忘れてしまったら戻ってもう一度確認するように。2番目の発表者の見た目のよさも前節で触れたので、繰り返すことはしない。

　ここでは3番目の「発話態度」に関する工夫を紹介したい。「発話態度」とは、要するに聴き取りやすい話し方のことである。

　「発話態度のよさ」を実現するための要点は次のようなものだ。

　・堂々と落ち着いて話す。
　・相手の目を見て話す。
　・時間配分を考える。

◉堂々と落ち着いて話す

　「堂々と落ち着いて話す」ということは、すでに述べていることだが、もう一度繰り返しておきたい。プレゼンテーションで印象が悪いのは、ぼそぼそと小さな声で早口に話し、おどおどした態度をとってしまう場合である。プレゼンテーションは**常に堂々とする**ことを心がけることである。おどおどして自信のなさそうなプレゼンテーションは、それだけで実は発表内容に誤りがあるのではないか、論証ができていないのではないかという疑念を聴き手の心の中に生じさせてしまう。そうした疑いの目で見られたプレゼンテーションは、「データの裏付けのない怪しい内容なのではないか」という前提などで聴かれてしまい、相当マイナスである。ましてやそういった印象をプレゼンテーションをジャッジする人に抱かれてしまったとしたら……。

　堂々とプレゼンテーションするコツは、早口で喋らないことだ。人間はどうしても緊張すると早口になってしまう。早口は理解の妨げになる。もちろん緩慢なぐらいゆっくり話すのも問題があるが、聴き手が理解できる適切なスピードで話すことを心がけねばならない。それだけで自信のあるプレゼンテーションだと聴き手は思ってくれる。

◉相手の目を見て話す

　相手を見て話すということは、プレゼンテーションでは非常に重要だ。要するに**「アイコンタクト」をする**ことである。実際のプレゼンテーションでよく見かけるのは、演台におかれた原稿にだけ目をやって、ずっと下を向いたまま、ぼそぼそと小声で話している発表である。発表者の声が聞き取りにくければ、内容を理解できない。内容を理解できないプレゼンテーションは、聴衆のことを考えていないプレゼンテーションである。前述したようにプレゼンテーションは、発表者と聴衆の対話なのである。話の内容が理解できなければ、対話は成り立たない。

　原稿を読み上げている以上、どうしても下を向いてしまうのは仕方がないことではないかと言われるかもしれない。確かに原稿を読み上げる場合、下を見て、原稿の文字を追うことになるのはいた仕方ないことだ。

しかしそれでも時折は顔を上げて、聴衆と目を合わす努力をしよう。自分と目が合った聴き手が自分の話にうなずいてくれたりするのが分かれば、自信が湧いてくるし、落ち着きもする。

　プレゼンテーションの最中は、聴衆と目を合わせて話すべきと今、述べたが、だからといって特定の聴衆をずっと見続けるようなアイコンタクトはやめよう。視線は定期的に、右左、後方、中ほど、前方などと移し、巡回させるように心がけよう。

　ではなぜ「アイコンタクト」が必要なのか。それは、聴衆と一体になって、プレゼンテーションを進めていることを示すためだ。聴衆を見ないでプレゼンテーションするのは、一方的な、単なる自己満足のプレゼンテーションである。聴衆は話についていけなくなり、理解できなければ、話を聴かなくなり、ほかのことをし始める。ところがたとえば大教室の講義でも先生が時折学生と目を合わせ、学生に語りかけるように話していると、自分も授業に参加している気持ちになり、話す先生と聞く学生に一体感が生まれる。プレゼンテーションも同様である。アイコンタクトをすることで聴き手の関心を自分に引き寄せ、集中させることができるのである。

　スライドを使ったプレゼンテーションで、聴衆に背を向けて、スライドが映し出されたスクリーンに向かってプレゼンテーションしている学生の姿を見かけることがある。聴衆に完全に背中を向けていることは確かに珍しいが、スライドのスクリーンの方をしょっちゅう振り返って、プレゼンテーションし続ける人をみなさんも見かけたことがあるのではないだろうか。スクリーンに映し出されたものを指示するためにスクリーンの方を向くことはあるだろうが、始終スクリーンを見て話し続けるのは避けるべきである。これでは声を聴衆のいる方向とは逆の向きに発していることになり聴きづらいし、何よりも聴衆を見ていないので、聴衆との対話は成り立たず、聴衆との一体感も生まれない。

◉時間配分を考える

　いろいろなプレゼンテーションを聴いていて、よく見かける光景があ

る。オフィシャルなプレゼンテーションでは、F君の場合のように終了1分前など、数分前に何らかの合図がある。この段階で時間内に結論まで到達しないことが判明すると、多くの発表者は本来言うべきことを省略して話し始めたり、早口になったりして、時間内に終わらせようと努力する。しかし一般的に結論に向かうほど、話の内容は抽象度を増し、同時に重要度も増してくるものである。そこでいろいろ省略したり、早口になったりすると、どういうことになるか考えてみてほしい。

　そう、答えは簡単だ。発表者の主張を理解できなくなる。それではそのプレゼンテーションは評価されないし、長い時間かけて準備してきた努力も水の泡となってしまう。そのためにはしっかり結論部を述べられるよう、時間配分を考えなくてはならない。思い出してほしい、リハーサルをしようと言っていたことを。リハーサルをすれば自分のプレゼンテーションが時間オーバーをしそうなのかどうかは分かる。時間オーバーするようなプレゼンテーションは発話態度としては評価に値しないほどひどいことである。

8　パフォーマンスは必要か

　外国の有名人によるプレゼンテーションで、壇上で身振り手振りを交えてプレゼンテーションをするのを見て、プレゼンテーションとは、こういうものなのだな、と思っている人も多いのではないかと思う。しかし実際にこうした派手なプレゼンテーションをアカデミックなプレゼンテーションで多々見かけるかというと、実はそうではない。みなさんはまだアカデミックなプレゼンテーションの場というものを経験したことがない、あるいはまだ経験が少ないと思うので、プレゼンテーションというと時にジョークを交え、身振り手振りで聴衆を惹きつけるというイメージが強いのではないかと思う。

　しかし、実際にはアカデミックなプレゼンテーションでは、こうした大仰な動作は行わないのが一般的であり、むしろこうしたパフォーマンスは逆効果のことが多い。アカデミックな意味での見事なプレゼンターというのは、基本的には最小限度の身振り手振りしかしていないことの

ほうが多い。それはどういうものかといえば、彼らは聴衆の視線を自分に、より正確に言えば、顔に向けるための動作をしているということである。なぜか。それはアイコンタクトをするためだ。

　ではどういう動きをすれば、自分の顔に視線を集中させることができるだろうか。発表時、もっとも動かしやすい体の部位は手である。だから両腕を胸のあたりに持ってきて、そこでジェスチャーをすれば、聴衆は発表者の手の動きを追って、おのずと視線が身体の上半身に行く。人間は、動くものを無意識のうちに目で追う習性があるからだ。顔の近くに視線が集まればアイコンタクトが取りやすくなる。実際、達人のプレゼンテーションを見てみると、大げさな身振りはあまりしないが、手を胸の位置に持って行って、指を立てたり、手を開いたりといったジェスチャーをしている。これだけで十分なのである。会場を所狭しに動いたりする必要はないのである。そうした動きは聴衆には落ち着きがないものに映り、話に集中することができなくなってしまう。

　しかしこれは結構、高度な技であり、また読み上げ原稿を一切用いないということが前提である。原稿を読み上げる場合は、椅子に座っていることが多いので、そこで両腕を動かすことは現実的でないし、実際、それは煩わしく見えることがある。そもそも椅子に座っている場合は、下半身は演台に隠れて、上半身しか見えないので、視線は顔に行きやすい。だから座って原稿を読み上げる場合は、必要以上にジェスチャーをすることはなく、適宜、顔を上げて聴衆と目を合わせるので十分であろう。

　ただどういう場合であっても、忘れてはならないのは、ジェスチャーとは聴衆とのアイコンタクトを促すためのものであるということである。

ポイント！
・余裕をもって、早め早めに行動する。
・落ち着いて、堂々とプレゼンテーションを行う。

---

10 ｜｜ 聴衆からですが、質問があります！

1 質疑応答って何？

　さて、プレゼンテーションが終わると普通は質疑応答になる。発表者は、プレゼンテーションが終わって「やれやれ、やっと終わった」と一息つくが、プレゼンテーションはこれで終わりではない。この後に続いて行われる質疑応答もプレゼンテーションの一部なのである。そして恐ろしいのは、この質疑応答の対応次第で、プレゼンテーションの印象が一変してしまうこともあることだ。そう、どんなにすばらしいプレゼンテーションをしても質疑応答が上手くいかないと、プレゼンテーションそれ自体が「ダメなプレゼンテーションだった」と思われてしまいかねないのだ。たった5分の質疑応答かもしれない（5分というのが、一番多い時間だ）が、あだや「質疑応答」を甘く見ることなかれ。

　ちょっと考えてみよう。質問が1つも出ないプレゼンテーションというものはどういうものだろうか。あまりに先端的で革命的なプレゼンテーションのため、聴衆が理解できずに質問も考えつかないのだろうか。なるほどそうかもしれない。しかし筆者はそのような場面についぞ出会ったことはない。実は先端的で、難解なプレゼンテーションほど質問は飛び交う。自分の理解の範疇からはみ出ているために分からないので、分かろうとして質問をするからだ。だから、そこから議論が活性化し、さらに新しいものが生み出されることもあるのである。

　では質問の出ないプレゼンテーションとは、一体どのようなものなのか。端的に言えば聴いている人が理解できないものなのである。何だ、同じことじゃないか、と思うかもしれないが、前者と後者は決定的に違うところがある。たとえば、Aくんの論証の筋道を辿れば、BさんもCさんも同じ結論に達することができるのが前者である。ただ到達した結論がこれまでの知識では理解できないので、本当にそうなのかを議論することになるのだ。

一方、後者は、Aくんの主張をBさんやCさんが辿ろうとしても辿れず、同じ結論に達しないのである。いくつもの解釈が可能であったり、Aくんの主観に基づいた主張であったりするので、Aくんはよく分かっていても、周りと共通の理解は成立しないのである。理解できないから質問も浮かばない。同じ「理解できない」でも、前者と後者が異なっていることが分かっただろうか。前者は、考えの筋道は分かるが、あまりにも斬新なことで即座に納得できないので質問が生まれ、後者はそもそも言っていることが独りよがりで質問が浮かばないのである。

　とは言っても現実は違うような気がする。実際の演習やゼミでは、論理的なプレゼンテーションであるかどうかにかかわらず、プレゼンテーションが終わり、「質問はありませんか」と司会役や先生が促しても「シーン」と教室が静まりかえっている場面の方が多いようだ。「いやいや、うちのゼミはそんなことはありません。丁々発止の議論が交わされています」というのであれば、それは問題はない。でも多くの場合はその逆で、しばらく気まずい沈黙が続いた後で、先生が解説兼コメントをして、プレゼンテーションが終わりということが多いのではないだろうか。

　プレゼンテーション後の質疑応答は、先生から学生への単線的な知識の伝授ではなく、先生と学生、学生と学生の複線的なコミュニケーションの場であり、そこから新しい気づきが生まれてくる貴重な機会でもある。だからそれを活用しないのはもったいない。でもゼミや演習などでのプレゼンテーションの現実は、発表者だけがプレゼンテーションし、発表者と先生だけのコミュニケーションで終わっていることの方が多いのではないだろうか。

　何が原因でこうなってしまうのだろうか。おそらくそこには、発表者の発表内容や発表態度とは別の問題が介在している可能性がある。つまりプレゼンテーションを聴いているみなさんは、知識を受け取り、それを蓄積することにかけてはすばらしいテクニックを持っていると思う。大学受験までそうしたタイプの授業の方が圧倒的に多かったからだ。しかしそこで欠落してしまったのは、**質問力**だ。これを鍛えないで今までき

てしまったがゆえに、プレゼンテーションの場で沈黙が生まれてしまうのではないだろうか。

　本章では、2つに分けてこのことを考えてみよう。1つ目は、「どうやって質問するか」ということであり、2つ目は「どうやって答えるか、あるいは反論するか」ということである。

2　質問の壁

　確かに、「では質問してみよう」と言われて、質問は浮かんでくるものではない。質問するにはある程度、訓練が必要であり、その前に質問の壁が存在している。

　改めて考えてみよう。なぜ質問が出ないのか。授業で発表者のプレゼンテーションが終わる。質問が出ない。発表者のプレゼンテーションがくだらなくて、質問にも値しないからなのか。でもそれはほぼあり得ないことだ。演習やゼミのプレゼンテーションを聴いている大多数は、自分と同程度の知識と知性の持ち主の聴衆なのだ。その同程度の学生が「質問するにも値しないくだらないプレゼンテーション」といって上から目線で見下すことは、よほどのことがない限り、考えられない。

　これを読んでいるみなさんも心当たりがあるだろうが、まずプレゼンテーションの内容が分からないということが考えられる。確かにこれは、前述のように半分くらいは発表者の問題だ。

　だがどうもそれだけではなさそうだ。発表を聴いていて質問がでないのは、聞く側にも問題がある。それは聞くポイントが分かっていないので、何をどう聞いたらよいか分からなくなってしまうため、質問が浮かばないのだ。この点が質問力に関わってくるのだが、このことについては後で詳しく説明しよう。

　そしてもう1つ、これが実は質問の最大の壁なのだが、たとえば、みなさんがある人のプレゼンテーションを聴いて、「あれ」「おや」という「何か変だぞ」というようなことに気づいたとしよう。さあ、プレゼンテーションが終わった、「質問がありますか」という司会者の促しを受けて、さっと挙手できるだろうか。もちろん「できる！」という人はいる

だろう。それは大いに結構。しかし問題はさっと挙手ができない場合が圧倒的に多いことだ。質問すべきことが頭に浮かんだのに、質問ができない。手を挙げさせない何かがある。この何かとは何だろう。

端的に言えば、それは「羞恥心」だ。

恥ずかしいのだ。いや、質問することが恥ずかしいのではない。もちろん指名されて一斉に視線を浴びるのは恥ずかしくて耐えられないという人はいるかもしれない。しかし実際に何が恥ずかしい気持ちを引き起こすのかといえば、自分の頭に浮かんだ疑問が、「もしかしたらアカデミックではないのではないか」とか、「常識に属することで、知らないのは自分だけではないか、笑われるのではないか」といったことが「質問をどうぞ」と言われた途端に頭の中を一瞬で駆け巡るからだ。その結果、「うん、今回は質問はやめておこう」という結論に達するのである。残念ながら、こうした思考パターンの場合、必ずと言っていいほど、「今回は」と自分の中で言うのだが、次回があった試しはない。つまりこう考えている以上、いつまでたっても質問はできないのである。だからこの挙手する行動にブレーキをかける質問の壁を越えなければ、質問することはできないのである。

要するに質問できないのは、2つの要因が考えられるということだ。1つは、**質問の仕方が分からない**、そしてもう1つは、**質問すると馬鹿にされるかもしれない、という精神的な障壁が聴き手に存在する**ということである。このために質問が出ず、教室や会場は重苦しい沈黙に包まれるのである。

「じゃあ、どうすれば、馬鹿にされるかもしれないというネガティブな気持ちから解放され、適切な質問ができるの？」とすがるような顔をされて、問い詰められても、残念ながら、これは個人の努力で乗り越えるしかないとしか答えられない。そのためには場数をこなしなさいと言えるぐらいだ。

しかし質問の壁に対して精神的な重圧を軽くするためには、自分は聴衆を代表して質問しているという意識を持つことが重要であることは確かだ。「みんなが疑問に思っているので、私が代表して質問しよう」とい

うポジティブな気持ちだ。個人的な経験からすると、「私」が「分からないなあ」と感じていることは、聴いているほかの人も同じように「分からないなあ」と感じていることが多い。つまりあなたは孤独ではなく、あなたに共感してくれる人はたくさんいて、その人たちを代表して質問すると考えればよい。そう考えると、気分が少しは楽になるだろう。

　ところで、質問にはコツみたいなもの、質問するためにはプレゼンテーションのどういったところに着目すればよいか、そういったポイントが分かれば、質問をしやすくなるのではないだろうか。以下ではそういった質問のポイントを整理してみたい。

　その前にまず、実際に次の文章を読んで質問を考えてみよう。そんなに難しい文章ではないと思う。できれば15個ほど作ってほしい。これは誰に見せるわけでもないので、羞恥心の壁はないはずだ。どんな質問でもいいので、考えてみよう。

ケース13

　「チャンバラ」というものを知っているだろうか。時代劇などで、刀でやり合う剣戦（けんげき）のことである。もっとも時代劇では「殺陣（たて）」というのが一般で、チャンバラという語は、「チャンバラごっこ」という形でもっぱら子どもたちの遊びで使われてきたものである。実際、『広辞苑』を引くと「刀剣で斬り合うこと。ちゃんちゃんばらばら」とある。ではこの語の語源を知っているだろうか。すぐに思いつくことは「チャンチャンバラバラ」の「チャンチャン」は刀がぶつかり合う音であると推察ができる。では「バラバラ」はどうだろうか。そうなるとやや怪しくなる。「バラバラ」が何を表す擬音なのか不明なのである。

　ところでチャンバラの語源は、長唄「筑摩川（ちくまかわ）」の「千鳥の合方（ちどりのあいかた）」という三味線の曲を口真似することから生まれたとする証言がある。この証言を残したのは、日本で映画が「活動写真」と呼ばれていた、まだ無声映画の時代に人気を博した映画監督、牧野省三である。牧

野省三は明治 11 年に生まれ、日本映画の父と呼ばれた最初の職業的映画監督である。300 本以上の時代劇を制作し、尾上松之助とコンビを組んだことでも知られている。この当時の映画は、録音技術はなく、無声映画であったため、弁士と楽隊が映画館にはいた。弁士はストーリーを説明し、楽隊は映画の伴奏をし、映画を盛り上げた。この楽隊は西洋式楽隊と三味線とが合奏する不思議なものであった。剣戟の場面になると、この楽隊の三味線が長唄「筑摩川」の「千鳥の合方」を演奏したのである。この「千鳥の合方」を口で真似る口三味線にすると、「チンチリトチチリ　チチチ　チリトチチンリン」となったという。

　明治末年から大正初めの頃、無声映画の時代劇に夢中になった子どもたちは剣戟場面を真似て「剣術ごっこ」をした。その時に子どもたちは、「千鳥の合方」の「チンチリトチチリ」を口三味線で囃したのだが、子どものため、正確に「チンチリトチチリ　チチチチリトチチンリン」と言うことができず、「チャンチャンバラバラ」と囃したという。これが略されて、剣術場面を「チャンバラ」と呼ぶようになったとされている。

　この文章は古川愛哲氏の『江戸の歴史は大正時代にねじ曲げられた』（講談社、2008 年）の記述に従って筆者がリライトしたものである。この課題文を読んでさあ、ともかく質問を作ってみよう。どんなものでもかまわない。とにかく、頭に思いついたものを列挙していってみよう。

3　質問の 3 つのパターン

　さて一体いくつの質問が考え出せただろうか。ここでは例として筆者が考えた質問を列挙してみる。もちろん、ここに挙げた質問が正解であるなどということはない。質問に正解も不正解もないのだから、あくまで一例として見ていただきたい。

1 「筑摩川」の「千鳥の合方」とはどのような曲なのか。

2 剣戟の場面で演奏されるのは、「千鳥の合方」だけなのか。

3 尾上松之助とはどのような人物なのか。

4 牧野省三の代表的な映画作品は何か。

5 「チャンバラ」の語源は本当に「千鳥の合方」の「チンチリトチチリ」なのか。

6 活動写真はいつ頃から日本人の娯楽になったのか。

7 牧野省三の証言は正しいと言えるか。

8 正しいと言えるのであれば、なぜ正しいと言えるのか。

9 『広辞苑』の定義は間違っていないのか。

10 ほかに「チャンバラ」の語源と言われているものはないのか。

11 「チンチリトチチリ」が、「チャンチャンバラバラ」になると思えないが、どのように変化したのか。

12 本当に大正時代以前には「チャンバラ」という語がなかったのか。

13 西洋式楽隊ではどんな楽器が使われていたのか。

14 弁士とはどのような職業なのか。

15 「チャンバラ」映画以外にどのような映画が当時上映されていたのか。

15個のこれらの質問をちょっと整理してみよう。そうすると次のような3つのグループに分類することが可能である。

第1のグループ

1 「筑摩川」の「千鳥の合方」とはどのような曲なのか。

3 尾上松之助とはどのような人物なのか。

4 牧野省三の代表的な映画作品は何か。

6 活動写真はいつ頃から日本人の娯楽になったのか。

13　西洋式楽隊ではどんな楽器が使われていたのか。

14　弁士とはどのような職業なのか。

15　「チャンバラ」映画以外にどのような映画が当時上映されていたのか。

第2のグループ

5　「チャンバラ」の語源は本当に「千鳥の合方」の「チンチリトチチリ」なのか。

7　牧野省三の証言は正しいと言えるか。

8　正しいと言えるのであれば、なぜ正しいと言えるのか。

9　『広辞苑』の定義は間違ってないのか。

11　「チンチリトチチリ」が、「チャンチャンバラバラ」になると思えないが、どのように変化したのか。

第3のグループ

2　剣戟の場面で演奏されるのは、「千鳥の合方」だけなのか。

10　ほかに「チャンバラ」の語源と言われているものはないのか。

12　本当に大正時代以前には「チャンバラ」という語がなかったのか。

この3つのグループは、それぞれ質問の型に基づいて分類している。質問の型を3つに制限してしまうのは、いささか乱暴かもしれない。確かに質問のパターンなんて数え切れないくらいありそうだ。でも質問することに慣れていない大学1年生にとって、3つくらいの基本形をまず習得して、これを各人で応用していった方が、覚える方も楽でよいのではないだろうか。

　ということでプレゼンテーションを聴いて、質問する際のポイントは、ここでは次の3つに限定しておこう。

・語の意味を問う（第1のグループ）。

・「本当にそうなのだろうか」と問う（第2のグループ）。
・「本当にそれだけなのだろうか」と問う（第3のグループ）。

　実は質問の仕方を丁寧に説明している本はあまり見かけたことがない。筆者が最も丁寧だと思ったのは野矢茂樹さんの『大人のための国語ゼミ』（山川出版社、2017年）である。詳しく知りたい人は、こちらも繙いてみるとよいだろう。1の「語の意味を問う」は、みなさんも何となくイメージできるだろう。2と3は、もともとは高田貴久さんが『ロジカル・プレゼンテーション──自分の考えを効果的に伝える戦略コンサルタントの「提案の技術」』（英治出版、2004年）という本で使っている言葉だ。そのままではあまりにも芸がないので、少し変えているが、実に上手い表現である。これらを順番に説明していこう。

　ところでこれから説明することは、実はわれわれが日常的に思考のバックヤードでやっていることで、それを可視化して言語化するだけのことだから、そんなに難しいものではない。

4　語の意味を問う

　「語の意味を問う」というのは比較的分かりやすいものだろう。とにかく分からない単語について、「それはどういう意味ですか」と問えばよいのだから。ところがこの一番簡単な問いが、実は一番精神的ブレーキがかかる可能性が高い。さっき書いたように「こんなことは当たり前のことだよ」「常識も知らないのか」「誰でも知っていることだよ」などなどブレーキになる言葉が頭の中を駆け巡りやすい。もちろん質問者の知識不足と思う人がいないわけではないだろうが、専門家の集まる学会でも、少しでも領域が異なると専門用語、学術用語を分からない場合が多い。そうすると、プレゼンテーションを聴いている人は、堂々と、「分からないから教えてくれ」と質問する。臆することなかれ。「聞くはいっときの恥、聞かぬは一生の恥」だ。

　話を元に戻すと、繰り返しになるが、これが最も簡単で質問しやすいパターンだ。先ほどの課題文から作った質問のうち、最初のグループが

「語の意味を問う」である。見て分かるように一番数が多いし、一番作りやすい。たとえば、

　　・「筑摩川」の「千鳥の合方」とはどのような曲なのか。
　　・尾上松之助とはどのような人物なのか。

といったものが典型である。

　またこの語の意味を問うという場合、定義が曖昧なものをはっきりさせるということもできる。上記の質問にはこのパターンはないので、新しい例を出してみよう。たとえば、次のような発言があったとしよう。

　「われわれは田園に残る田んぼや畑といった美しい自然を後世に伝えるよう努力しなければならない」。

　何かのプレゼンテーションの結論に出てきそうな文章だ。難しい言葉もないように思う。しかしよく考えてみると、「美しい自然」という箇所がよく分からない。「えっ」と思うかも知れない。だが考えてみよう。「美しい」とはどういうことなのか。こういった情緒的な形容詞は、人によってそれが意味することが異なってくる。確かに美は存在するが、何を美しいというのか、何に美を見出すのかは各人各様である。「美しい」と一言で言っても、ある人は古典的な美の規範しか美しいと思わないかもしれないし、またある人はグロテスクなものの中に美しいものを認めるかもしれない。だから「美しい」と言っても、みなが同じものを思い浮かべているとは限らない。そこで共通の議論の場を作るために、

　「ここでいう『美しい』とはどういうことなのですか」

と質問してみる。これが語の定義をはっきりさせるというものだ。語の定義が誤っている場合もある。こうした場合も質問してよいだろう。たとえば、先ほどの例であれば、「田んぼや畑といった美しい自然」であ

る。「自然」とは、人間の手にかかっていない状態のことを言うのが本来である。一方、田んぼや畑は、鉄骨やコンクリートでできていないが、人間によって作られた人工物である。これでは「自然」の定義に当てはまらないものを「自然」と言っていることになる。だからこの点について質すことができるだろう。

さらに「語の意味を問う」を発展させたものもある。これは人間の知識欲と結びついたものだ。今度は「分からない」から質問をするのではなく、「さらに知りたい」から質問をするのである。これも「語の意味を問う」に含めてもよいだろう。「さらに知りたい」という知識欲系の質問は、「チャンバラ」の質問群でいえば、

・牧野省三の代表的な映画作品は何か。
・活動写真はいつ頃から日本人の娯楽になったのか。
・西洋式楽隊ではどんな楽器が使われていたのか。
・「チャンバラ」映画以外にどのような映画が当時上映されていたのか。

といったものがこれにあたる。そう、文中に出てきた単語に関連づけて、さらにもっと多くのことを聞き出すというパターンである。質問をされた方としては、分からなければ無理して答える必要もないが、上手くするとこれは議論がいろいろな方面に広がっていく可能性がある。しかし一方、本来の議論から大きく逸脱してしまうというデメリットもあるので、注意も必要だ。

5 「本当にそうなのだろうか」と問う

先ほども述べたように、「本当にそうなのだろうか」という問いと、「本当にそれだけなのだろうか」という問いは、高田貴久氏が『ロジカル・プレゼンテーション』という本の中で使った表現がもとになっている。彼に言わせれば、「本当にそうなのだろうか」という問いが発せられるのは、「因果関係」が弱いということである。因果関係とは、論理的な関係になっていない、つまり問いと結論が正しく結びついていないと言

えるだろう。この「因果関係」のつながりとはどのようなものだろうか。このことを図示すると次のようになるだろう。発表者の頭の中では、「おや」「あれ」と思ったことから、問題提起→A→B→C→D→結論と進んでいる。それが以下の図だ。

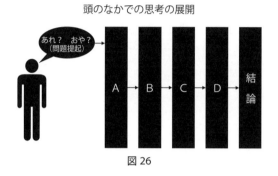

頭のなかでの思考の展開

図26

しかし実際のプレゼンテーションでは問題提起→A→B→［C→D］→結論とCの部分とDの部分が欠落してしまっているとする（よくあることだ）。そのため聴いている側は、「何かおかしい」という気になるのだ。図にするとこんな感じだ。

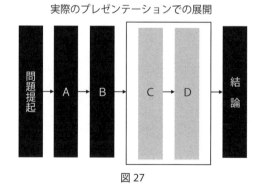

実際のプレゼンテーションでの展開

図27

これをたとえば「チャンバラ」は「千鳥の合方」の「チンチリトチチリ」が語源であるという思考の展開にあてはめると次のようにすること

ができるだろう。

この図を見ながら考えよう。まず前提は「チャンバラ」の語源は、「チャンチャンバラバラ」である。そしてこの「チャンチャンバラバラ」は、「千鳥の合方」の「チンチリトチチリ」を正確に言えなかった大正時代の子どもが適当に変化させたものが「チャンチャンバラバラ」であると映画監督の牧野省三が証言している。これが次の前提である。だから「チャンバラ」の語源は「チンチリトチチリ」である。これが結論である。ここで「本当にそうなの」と問うべき所は、どこだろうか。

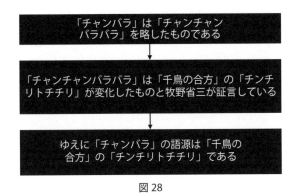

図 28

大正時代に少年時代を過ごした人ならともかく、第二次世界大戦後に生まれた世代である筆者や、ましてや21世紀になってから生まれたみなさんには、どうすれば「チンチリトチチリ」が「チャンチャンバラバラ」に変化するするのか感覚的に理解できない。ここに説明の飛躍がある。つまり「チンチリトチチリ」からどのような変化があって「チャンチャンバラバラ」に変化したかを考証したものが欠落しているので、「チンチリトチチリ」が「チャンチャンバラバラ」に変化したと言っても聴いている人は何となく納得できない。本当にそうであるという客観的な事実がないからだ。図にすると次のようになるだろう。

Ｘのところに、「チンチリトチチリ」から「チャンチャンバラバラ」の変化についての検証があるはずなのである。そこで、「本当に『チンチリトチチリ』は『チャンチャンバラバラ』になるのか」、という問いが

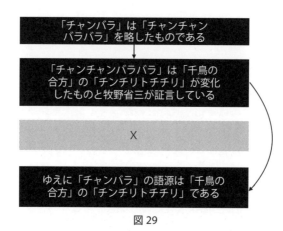

図 29

出てくるわけなのだ。それが「『チャンバラ』の語源は本当に『千鳥の合方』の『チンチリトチチリ』なのか」という質問となるのである。Xを飛ばしているので、飛躍があると感じるのだ。

この「本当にそうなのか」という問いは、**論理・説明が飛躍しているところを探し出して質問する**ということになる。つまり論証の流れとなるもの、問い→結論という流れのどこかに不備があると指摘をすることである。

6 「本当にそれだけなのだろうか」と問う

「本当にそうなのだろうか」が論証の流れを疑うことだったが、もう1つの「本当にそれだけなのだろうか」は、論証の充実度を疑うことである。つまり何かを論証するのに十分な事例や資料で検証がされており、不足がないかを考えることである。これも発表者の頭の中では、論証にはA、B、C、Dの事例だけで十分と考えていたということだ。図示すると次のようになる。

しかしこれにXを加えなければ、不十分なのではないかという問いが可能だ。図示するとこうだ。

これを「チャンバラ」の話に戻すと、以下の3つが「本当にそれだけなのか」のパターンに当てはまるものである。

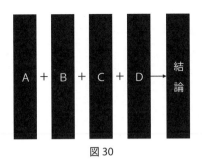

図30

・剣戟の場面で演奏されるのは、「千鳥の合方」だけなのか。
・ほかに「チャンバラ」の語源と言われているものはないか。
・本当に大正時代以前には「チャンバラ」という語がなかったのか。

　課題文では、「チャンバラ」の語源は「チャンチャンバラバラ」が省略されたもので、これは牧野省三の証言によって「千鳥の合方」の「チンチリトチチリ」がもともとのものであったが、それが変形して「チャンチャンバラバラ」になったということである。しかし牧野省三の証言だけで「千鳥の合方」を語源とするので十分なのか、という疑問は湧いてくるだろう。同じようなことを証言している人はいるのだろうか。あるいは本当に「千鳥の合方」だけしか、語源とされているものはないのだろうか。また大正時代まで「チャンチャンバラバラ」という言葉はなかったことになるが、本当にそれ以前に「チャンチャンバラバラ」はなかったのだろうか。こういった疑問が湧いてくるはずだ。

　これらは全て「本当に『チャンバラ』の語源は『千鳥の合方』だけなのか」ということに集約されるだろう。ちなみにインターネットで調べてみると、牧野省三の孫のマキノ雅弘もチャンバラの語源を剣戟場面によくつけた曲を擬音化したものであろうとしている（『週刊サンケイ臨時増刊 大殺陣 チャンバラ映画特集』（サンケイ出版、1976年））とある。これは牧野省三の証言を補強してくれるだろう。

　しかしこの型の質問の多くは、これにXを加えたら、論が破綻するの

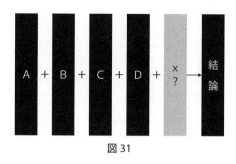

図31

ではないかというものである。たとえば、「チャンバラ」の語源には、「チャンバラは、1877 年の西南戦争の戦いの様子を表した言葉で、剣と剣がぶつかる『ちゃんちゃん』という音と、鉄砲の弾がふりそそぐ『ばらばら』という音、もしくは敵味方入り乱れためちゃくちゃな状態の『ばらばら』を合わせて『ちゃんちゃんばらばら』と表現し、それを縮めて『チャンバラ』になったといわれています」（ことば学習研究会編『語源まるわかり事典　〜言葉のなぜ？どうして？がわかる本〜』、ナツメ出版、2011 年）というものもある。こうなると「千鳥の合方」が語源で、しかも使われ始めたのが大正時代ということも再検討する必要が出てきてしまった。発表者は、この質問に上手く答えられなければ、発表自体が崩壊してしまうことになる。

　確かに「チャンバラ」などの俗語の語源は、実際、特定するのは難しい。だから無声映画時代の伴奏の楽曲を擬音化したものかもしれないし、そうでないかもしれない。しかしここで気をつけてほしいことは、「本当にそれだけなのだろうか」という疑問を発しなければ、その場では、語源は無声映画時代の伴奏の楽曲が擬音化したものだけになってしまい、**それ以外の可能性は検討されなくなってしまう**ことだ。そのためにもこうした質問は必要だ。

　まとめてみよう。質問することは勇気がいることだ。そして勇気を振り絞って質問するのだが、それにはまず3つのパターンを覚え、そこから質問を作ってみよう。繰り返しになるが、質問のパターンというのは、

ほかにもあると思う。しかし質問することに慣れていないみなさんが最初に身につけるのはこの3つのパターンからで十分であろう。そして忘れてはならないのは、プレゼンテーションの場は、発表者から聴衆への一方通行的なコミュニケーションなのではなく、発表者と聴衆の双方向的なコミュニケーションであり、そのためにも発表後の質疑応答が存在するのである。それは発表者が提示した問題に対し、さらに発展したもの、新たな視点を提示するものになるはずだ。

ポイント！
・質問の仕方のパターンは3つ。
　「どんな意味ですか？」
　「本当にそうなんだろうか？」
　「本当にそれだけなんだろうか？」

---

11 ‖ わかりました、質問にお答えしましょう

　では今度は、質問を受けた発表者がどのように対処すればよいかを考えてみよう。前節では質問のパターンを3つに分類したが、この3つのパターンに対する対応の仕方である。

1 「語の意味を問う」に答える

　1番目の「語の意味を問う」のパターンの質問であれば、問われた語や文言の意味を丁寧に解説しよう。たとえば「『千鳥の合方』とはどのような曲なのですか」という質問であるが、「千鳥の合方」に関する双方の共通の理解がなければ、これが本当に「チャンバラ」の語源かどうか検証することができなくなってしまう。そのためにも知っていることを質問者に丁寧に答えることが肝要だ。

　また「われわれは田園の美しい自然を後世に伝えるよう努力しなければならないと言っていたが、この場合の美しいとはどういうことなのですか」という質問にも同様の理由で、丁寧に説明する必要がある。もっともその前に「美しい」などの情緒的なものを表現する言葉は、プレゼンテーションでは使わない方が賢明なのは、前述の通りだ。ただそれでも言ってしまったからには責任をとらねばならない。誠意をもって答えよう。

　最後のパターン、つまり発展形のものにしても、もし自分にその知識があったら、それを披露しよう。これも前述した通りだ。

2 「本当にそうなのだろうか」に答える

　2番目の「本当にそうなのだろうか」は、発表者は、当たり前だが、話の筋道を十分理解できているのだが、聴衆にはその論理展開が見えず、飛躍しているように思われることが原因だ。前述したようにA→B→C→D→結論と発表者は考えたが、実際のプレゼンテーショ

ンではA→B→［C→D］→結論となってしまい、C→Dの論証が省略されてしまったため、いきなりAとBから結論が導き出された印象が強いことになる。そのため、質問に対して、省略した［C→D］を補って、もう一度説明すると、質問者は納得するはずだ。

たとえば、「『千鳥の合方』の『チンチリトチチリ』が、子どもの口が回らないにしても、本当に『チャンチャンバラバラ』となるのか」という質問は、「チンチリトチチリ」と「チャンチャンバラバラ」のあいだに飛躍があるように思われるので質問をしているはずだ。これを「牧野省三がそう言っているのだから、そうなんです」と言ってしまっては、質問者の疑問に誠意をもって答えているとはいえないだろう。発表者は、この時「チンチリトチチリ」から「チャンチャンバラバラ」に変化する過程、つまり上の図で言えば［C→D］を説明する必要がある。

3 「本当にそれだけなのだろうか」に答える

3番目の「本当にそれだけなのだろうか」は、発表者が導き出した結論を証明する事例が本当にそれだけなのかということである。2と同じように図で描き出すとすると、A＋B＋C＋D＋X→結論とXの可能性も考えられるのだが、A＋B＋C＋D［＋X］→結論とXの事例が挙げられていないので、質問者はAとBとCとDだけでは結論を導き出すのには不十分なのではないかと思って質問しているはずである。であれば、欠落していると思われる事例、つまりXを探して、提示すれば、質問者は納得するはずだ。

先ほどと同じように「チャンバラ」の語源の例でいうと、「牧野省三の証言だけなのか」という質問がこれにあたる。これに対しては、牧野省三以外の証言だけでは、この語源説を支持するのは難しいということなので、これ以外の同じような証言を準備しておく必要がある。

このパターンの注意すべき点は、帰納であるので、A＋B＋C＋D→結論というようにA、B、C、Dから結論を導いているのだが、A、B、C、DにYという事例を加えてしまうと、結論を導けないことになってしまい、論が破綻してしまうことがあり得ることだ。そして質問者は、先ほ

ど言ったようにＹというものがあることを知っていて、それを加えたら結論にはならないと考えて質問していることが多い。

「チャンバラ」の話を例に取ると、もしかしたら、質問者が「西南戦争の戦いの様子を表した擬音が語源である」ということを知っていて、質問していることも考えられる。そのためにはこの「西南戦争」説のことは考えたが、今回は括弧に入れて、留保しておいたといった理由をあらかじめ考えておかなくてはならない。たとえば牧野省三の説は一次資料の文献で確認することができた。一方、西南戦争説は確かに巷間にあることは確認できるが、一次資料で確認することはできなかったので、ここでは採用しなかったなどと一定の条件をつけて答えるようにしなければならないだろう。

4　水掛け論って何？

ところが実際のプレゼンテーションの質疑応答では、この３つに当てはまらない質疑応答に遭遇する場合がえてしてある。たとえば頭ごなしに

「君の言っていることは、まったく間違っていると思う」

と根拠も提示せずに、否定するパターンや、発表と関係ない自説をとうとうと述べて、押しつけてくるパターンである。もちろん指摘に対し、自分の間違いが認められたら、素直に従うべきだ。しかし発言に納得がいかず、自説を頭ごなしに否定されたり、プレゼンテーションの内容とは関係のない説を押しつけられたりすると、それに対して反論をしたくなるというのが、自然な感情である。ここでは反論をどのようにすればよいか考えてみよう。

ところで、反論と見えつつ、反論になっていないものに「水掛け論」というものがある。これは一見したところ、議論をしているように見えて、まったく議論になっていない。そもそも議論とは言葉のキャッチボールのようなもので、相手の主張に対し、疑問を投げかけ、それに答えるという対話をするのであるが、水掛け論は相手の主張とはおかまいなく、自分の主張だけをひたすら繰り返すだけのものを言う。

アカデミックな場でこんな議論をするわけないだろうと思うかもしれ

ないが、議論と称して、実際には水掛け論、つまり自己の主張しか繰り返さないということは結構多い。これでは議論は発展しないし、新しい視点や問題点も浮き彫りになってこない。

　たとえば数年前に物議を醸した大学の文系学部の廃止問題についての次のような議論はどうだろう。

ケース 15

「文系学部、特に文学部は、いらないと思う」
「必要だよ」
「いや、必要ない」
「必要に決まっているだろう」

　これは、典型的な水掛け論である。水掛け論は一度始まると、制止するのが感情的に難しい。これでは質疑応答とも反論とも言えないし、そもそも不毛であり、とてもアカデミックとは言えないだろう。

　水掛け論は相手と対話をしていない点に特徴がある。では、ここでの**「対話」というのはどういうものだろうか**。それは根拠に基づいて自分の意見を主張し、それに対し、別の主張を根拠を提示して述べることである。この発言者と質問者のキャッチボールがあって「対話」が成り立つのである。先ほどの文系学部廃止論についても、主張はある（「必要ない」「必要だ」）が、その根拠が述べられていないので、対話になっていないのである。ではたとえば、あなたが文系学部の必要性を説いたことに対し、次のような発言があったらどうだろうか。

ケース 16

　文系学部、特に文学部は不要ではないか。なぜならば社会に対して、文系学部、特に文学部は実践的な知を生み出してはいないからだ。工学部のように社会の生産性の向上に寄与していないのである。だから文系学部、特に文学部は必要ない。

筆者にはとうてい首肯できないが、これであれば、文系学部、特に文学部の廃止を求める根拠が述べられている（「文系学部、特に文学部は実践的な知を生み出してはいない」、「社会の生産性の向上に寄与していない」）。だから根拠のある主張と言えるだろう。根拠のある主張であれば、根拠に誤りはないか、論に飛躍がないか検証できる。ここに誤りがあったり、飛躍があったりすれば、それについて反論する。その時、**水掛け論から議論へ**と変わる。

5　適切な反論とは？

　では、上の主張に対し、どのように反論できるだろうか。少し考えてみてほしい。考えられる反論は、「生産性」に関してである。発言者は文系学部、特に文学部を生産性からしか評価していないことに問題があると考えられる。この背景には「成果の見込める分野、つまり理系の分野に研究費を注ぎ込むべきものである」というものがあり、社会の生産性や国益に直接結びつかない文系の学問は税金の無駄遣いという前提がある。しかし大学での研究を生産性だけで評価できるだろうか。そこが反論の糸口である。そこで次のように反論してみてはどうだろうか。

　　ケース17

　　あなたの主張では、大学での研究は生産性でしか評価すべきではないと言っているように思われますが、果たして大学の研究を生産性のみで評価してよいのでしょうか。

　　生産性のみを追求した場合、たとえば人体実験をした方が効率がよく、生産性の向上につながるので、医学や薬学で人体実験も容認されてしまうことも考えられる。それに対し、倫理的な面からブレーキをかけ、人権を守らねばならないと主張し、生産性が低下しようともそれ以上に大切なものがあるという思考を生み出すのが文系学部の学問ではないでしょうか。

ところでここで気がつくことはないだろうか。そう、この反論は、**「本**

当にそうなのだろうか」と同じ構造をもっている。実は質問と反論はネ
ガとポジのような関係で、質問での要領と同じで、質問者に対して、「語
の意味を問う」「本当にそうなのだろうか」「本当にそれだけなのだろう
か」の観点から反論をすることができるのだ。

ポイント！
・質問の答え方の鉄則は、水掛け論に陥らないこと。
・反論の構造は質問の型と本質的には同じ。
　　本当にそうなのかを問う
　　本当にそれだけなのかを問う

プレゼンテーション後は早く帰りたいけど……

1 自分のプレゼンテーション後に何をすればよいか？

さて、プレゼンテーションが終わり、質疑応答も何とか対応できたというところで、発表者は、一気に緊張が解けて、どっと疲れが出ることだろう。それでも一緒に発表をする人のプレゼンテーションも聴いておくべきだ。それは自分の研究と近い分野に関わるプレゼンテーションなので、自分の研究に関する新たな知見が得られるかもしれないからだ。そしてできれば、前章で示したやり方で、質問をしてみよう。

これは大学での演習やゼミでのプレゼンテーションでも一緒である。プレゼンテーションが終わってほっとするのではなく、一緒に発表した先輩や同級生のプレゼンテーションにも耳を傾けるべきなのだ。

そして全てのプレゼンテーションの時間が終わり、散会になると本当にほっとする。場合によっては一刻も早く帰りたいという気持ちになるだろう。しかしプレゼンテーションは人生に一回限りではないのである。大学生であれば、卒業するまで何度もプレゼンテーションすることになる。できれば次回のプレゼンテーションの方が、今回よりもよいものになるようなヒントを得て終わった方がよいだろう。そのためにはプレゼンテーションや授業が終わった後で、プレゼンテーションを聴いてくれた人と積極的にコミュニケーションを取ろう。ゼミや演習であれば、まずは先生のところに行って、意見を聞こう。先生は研究者であると同時に教育者なので、どうすればよいプレゼンテーションになるか、どういう観点が足りなかったか、あるいは論に飛躍があるとか、事例が少ないとか、前提が誤っているかなどのアドバイスをいろいろしてくれるはずである。そのアドバイスを次回に活用すれば、よりよいプレゼンテーションになるだろう。

またプレゼンテーションに立ち会ってくれた同級生や先輩・後輩などにも積極的に話しかけてみよう。前章で述べたように、みんなの前で質

問をするのは勇気がいるものだ。本書では勇気をもって質問をしようと言ったが、実際にはいろいろな疑問が湧いてきても質問をしない人は多い。また質疑応答が5分と短い場合、時間の関係で質問できなかった人もいるはずだ。つまり表面化していない潜在的な質問がたくさんあるということだ。この潜在的な疑問を収集する努力をしよう。散会した後でのリラックスした雰囲気の中なら、いろいろ質問したりアドバイスをしてくれたりする人が多いものだ。そのためにも発表後、同級生や先輩に積極的に話しかけてみよう。その際のポイントは次の点になる。

・理解しやすいプレゼンテーションだったか。もし理解しづらいのであれば、どのような点が原因であったか。
・論理の前提に誤りはなかったか。
・理論の飛躍はなかったか。
・事例は適切だったか。

こういったことを聞いて、次回のプレゼンテーションに役立てよう。
　また学会やプレゼンテーション・コンペなどの大会での発表であれば、発表後に懇親会があることが多い。この懇親会にもできれば参加しよう。筆者の勤める大学には、教養研究センター設置のアカデミック・スキルズという、1年をかけて、論文の書き方とプレゼンテーションの仕方を学ぶ授業がある。1年の最後に各クラスから選抜された学生によるプレゼンテーションのコンペティションが、半日をかけて行われる。毎年、午後6時ごろ終了するのだが、その後、発表者が全員出席して懇親会が開かれる。発表者はここで初めてプレゼンテーションの緊張から解放されるのだが、多くの発表者はこの懇親会の席上で先生や先輩からプレゼンテーションについてアドバイスをもらっている。アカデミック・スキルズの発表会では、発表時は5分の質疑応答の時間が設けられているが、限られた時間のために質問できなかった人たちが、この場で発表者に質問をしたり、アドバイスをしたりもする。この懇親会での質疑は、時間の制約もなく、忌憚のない意見をもらえ、自由に議論できるので、今後

の研究などのヒントや有益なアドバイスを得られることが多い。

　せっかくプレゼンテーションをしたのだから、1回限りのプレゼンテーションだけで終わらせるのはもったいない。次のプレゼンテーションや研究につながるようなものを得て帰宅する方がよいだろう。そうした意味では、発表後の懇談や意見交換は、貴重な機会であるので、十分、活用しよう。

ポイント！
・自分のプレゼンテーション後のフォローが重要。
・積極的に先生や先輩、同級生から情報を収集しよう。

2　プレゼンテーションの美学

　最後に、再び「プレゼンテーションとは何か」ということを述べて終わることにしたい。プレゼンテーションとは、これまでも何度も述べてきたことであるが、自分の考え、成果を一方的に披露するものではない。プレゼンテーションは対話なのである。そういう意味では、古代ギリシアの哲学者プラトンが描き出すソクラテスの態度に通底するものがある。みなさんはプラトンの『饗宴』や『国家』などを読んだことがあるだろうか。

　これらプラトンの哲学書が、後世の、いや現代の哲学書の多くと決定的に異なっている点は何か気がつくだろうか。それは形式に関することである。プラトンが書いた哲学書は全て、対話から成り立っているのである。プラトンの著作は、プラトンの師であったソクラテスと誰かの対話という形を取っている。まるで演劇の台本のようである。プラトンの描き出すソクラテスは、対象となる問題に対する主張に対して、対話者の矛盾や当人が常識だと思い込んでいる点を指摘し、問題の本質を明らかにしていく。これは問題に対して、弁証法的に議論を発展させていくものと言ってよい。

　授業や何かの大会で行うプレゼンテーションも同様に考えてよいだろ

う。一方的な主張の伝達ではなく、その後の質疑応答などの対話を通して、新たな気づきがあり、次のステップにつながることが授業や大会でのプレゼンテーションでは重要なのである。アカデミックな場面でのプレゼンテーションは、たえざる進化を伴う必要がある。対話をし、そこから弁証法的に新たな、反対意見も取り込んだ新しい総合を生み出していくダイナミックな運動であるべきだ。

　そのためには聴き手に自分の論理を理解し、納得してもらう必要がある。その機会がプレゼンテーションだ。上手くいったプレゼンテーションの時でも、そうでなかった時でも、プレゼンテーションが終わったら、そのプレゼンテーションを反省する必要がある。どうして上手くいかなかったのか、次回はどうすればよいのか、というほかに、どうして上手くいったのかということも考えてみよう。この反省は、みなさんにきっとみなさんなりのプレゼンテーションのスタイルを獲得させてくれるはずだ。

　この本のようなプレゼンテーションのハウツーものを見て、その都度、プレゼンテーションを準備するのも最初のうちはよいかもしれない。しかし何かのテンプレートを参考にして、たまたま上手くいったとしても次の回も上手くいくとは限らない。初めのうちは何かを参考してもよいが、ある程度の回数をこなすようになったら、どうすれば相手が納得するのか、どうすれば相手に印象深いプレゼンテーションだったと思わせることができるか、自分なりの思想を構築し、それをもとに発表用の原稿やスライドを作るように心がけるべきだ。それは**自分なりのプレゼンテーションの美学を作る**ということでもある。そうした自分の核になるものがあれば、さまざまな技巧やトレンドに左右されずに、逆にそれらを利用して、印象深く、心に残る発表用原稿や資料を作ることができるようになる。

　そのためには、自分のプレゼンテーションを振り返るだけでなく、他人のプレゼンテーションもよく観察してみよう。ベテランの人の印象に残るプレゼンテーションは、そこに一貫した発表者の美学があることにやがて気づくようになるだろう。

そしてそうした美学が構築できれば、みなさんはプレゼンテーション初学者から脱却し、次のステージに移っているはずだ。その時、本書が本棚の奥で埃をかぶって、忘れ去られていれば、本書の目的も果たせたということができるだろう。

　最後に、プレゼンテーションとは「魅せ方の美学」であると説いた慶應義塾大学 SFC の井庭崇さんの言葉で本書を結ぼう。

　　自分なりの「魅せ方の美学」を磨いていくことでプレゼンテーションはあなたの「作品」というべきものになっていきます。聞き手は、その美学に裏打ちされた一貫性のある「魅せ方」を味わいたいと思い、あなたのプレゼンテーションを楽しみに待つことになるかもしれません。そして語り手のあなたも、魅せることに誇りと生き甲斐を感じるようになるのです。（井庭崇＋井庭研究室『プレゼンテーション・パターン』、慶應義塾大学出版会、2013 年）

附録

プレゼンテーション実践例

『坊っちゃん』はどうなった？

　さて、せっかく決めの言葉で本文を終えたのだが、最後にこれまでのことを踏まえて作られた発表原稿とスライドの例を挙げて、本書を本当に終えることにしよう。これを作成したのは、第1部で紹介した夏目漱石での発表を考えていたEさんだ。彼女は、仮説演繹法を使って漱石の論を構築しようとしたのだが上手くいかなかったので、あれから自分の立てた仮説を変更してここに挙げたようなスライドと発表原稿を作成して発表した。もちろんこれは、一例に過ぎないので、こんな風にしなくてはいけないというものではない。あくまで参考として見てほしい。なおスライドの左上の番号は、読み上げ原稿に附された番号と対応している。

①

夏目漱石による近代的自我の確立と文体

『坊っちゃん』と『三四郎』の比較を通して

②

夏目漱石とは

- 本名：夏目金之助　日本の作家・評論家・英文学者

- 1867（慶應3）年–1916（大正5）年

- 代表作：『吾輩ハ猫デアル』『坊っちやん』『虞美人草』『三四郎』『行人』『こゝろ』『明暗』など

③

『坊っちやん』と『三四郎』

- 『坊っちやん』：

  1906年刊行

- 『三四郎』：

  1908年刊行

- ほぼ同時代の作品！

『坊っちやん』と『三四郎』の接続詞の比較

	坊っちやん	三四郎
それに	14	19
しかし	47	114
けれども	13	110
ところが	18	60
にもかかわらず	2	5
要するに	0	6
つまり	0	6
すなわち	0	4
たとえば	1	4
したがって	0	10
それなら	3	2
それから	42	77
それも	8	4
あるいは	1	9
ただし	0	7
さて	1	2

『吾輩ハ猫デアル』の接続詞

	吾輩ハ猫デアル	坊っちやん	三四郎
それに	35	14	19
しかし	194	47	114
けれども	34	13	110
ところが	104	18	60
にもかかわらず	5	2	5
要するに	5	0	6
つまり	16	0	6
すなわち	2	0	4
たとえば	0	1	4
したがって	2	0	10
それなら	0	3	2
それから	99	42	77
それも	10	8	4
あるいは	19	1	9
ただし	4	0	7
さて	14	1	2

⑥

近代的自我の象徴としての『草枕』

- 「智に働けば角が立つ。情に棹させば流される。意地を通せば窮屈だ。とかくに人の世は住みにくい。」

  『草枕』（1906年）

  - 智：近代的自我、個、個人（知性によって獲得され、確立される→知的に習得する「智」）

  - 情：世間（個人の確立を認めない、一種の集団主義）

    - 個人主義を主張すれば、世間と衝突する！

    - 世間に迎合すれば、近代的自我は失われる！

⑦

近代的自我と世間との関わり方

- 『坊っちゃん』

  - 坊っちゃん→世間知らず→「智」の人間→「角が立つ」存在

- 『三四郎』

  - 三四郎→世間知らず→世間と折り合いをつけながら自己を確立

⑧

近代的自我と接続詞①

- 接続詞：文と文とのつながりを明確にする働き

    →論理的文章→相手の理解を促す

    →社会的な関係を構築する

- 『坊っちやん』の主人公：

    →個人主義的　社会的関係を構築する意図がない

    →接続詞の必要性がない！

⑨

近代的自我と接続詞②

- 『三四郎』の主人公

    - 個人の確立を求めている↔世間と折り合いをつける

    - 個を認めてもらうために、世間に自分を説明する必要がある→論理的である必要がある→論理的であるために接続詞を多用

⑩

結論

- 『坊っちやん』と『三四郎』の接続詞の多寡

  - 漱石による近代的な自我の在り方の二通りの表現

    - 『坊っちやん』：

      - 確立された個の問題→接続詞少

    - 『三四郎』：

      - 確立された個と社会との関わりを重視→接続詞多

⑪

参考文献

- 『坊っちやん』、『漱石全集』第2巻、岩波書店、1994年。

- 『草枕』、『漱石全集』第3巻、岩波書店、1994年。

- 『三四郎』、『漱石全集』第5巻、岩波書店、1994年。

- 『それから』、『漱石全集』第6巻、岩波書店、1994年。

- 江藤淳『漱石とその時代』（第1部—第5部）、新潮社、1970年—1999年。

- 蓮實重彦『夏目漱石論』、講談社、2012年。

- 倉田稔「夏目漱石の社会思想—とくに『草枕』の場合」『小樽商科大学人文研究』第95輯、1998年。

　　プレゼンテーション実践例（発表原稿）

①　ただいま、ご紹介にあずかりました文学部1年の○○△△です。時間もあまりありませんので、早速、発表に移りたいと思います。

　みなさんは、これまでに夏目漱石の『吾輩ハ猫デアル』や『坊っちゃん』、そして『こゝろ』といった小説を読んだことがあるでしょうか。実際、私も高校生の時に『こゝろ』を読んで、「先生」の死について深く考えさせられました。

②　一般に夏目漱石は、近代的な自我を日本で最初に描き出した作家の一人と言われています。実際、漱石は東京帝国大学の英文科を卒業し、英国に留学もしていることは周知の通りですが、こうした西洋の知に基づいた学問や経験を通じて、それまでの日本になかった近代的自我を強く意識するようになったと考えられます。この近代的自我とは、個人という考えが確立した西洋的な個人主義のこととここでは言っておきましょう。この漱石の近代的自我の確立と社会との関わりを漱石の小説の文体から読み解くことを本発表は目的としています。ここでは、漱石の『坊っちゃん』と『三四郎』の文体を比較して、そこから読み取れることを検討します。

③　『坊っちゃん』は、1906年に初めて発表され、『三四郎』は、1908年に発表されています。いずれも漱石の作品の中では、よく読まれているものといってよいでしょう。また時期的にもさほど離れていない作品です。しかしこの2つの作品は、文体ということからすると大きな差異が見られるのです。それは接続詞の使用です。ここでは、漱石の文体のうち、接続詞という観点から2つの作品の分析をすすめていきます。

④　まず、「それに」「しかし」「けれども」「ところが」「にもかかわらず」「要するに」「つまり」「すなわち」「たとえば」「したがって」「それなら」「それから」「それも」「あるいは」「ただし」「さて」が『坊っち

やん』と『三四郎』にどれくらい出現するか比較してみましょう。その結果がスライド④です。④を見ると分かることですが、『坊っちゃん』は、接続詞の出現する回数が、『三四郎』に比べて明らかに少ないのです。逆接の接続詞「しかし」を取ってみると『坊っちゃん』は 47 回であるのに対し、『三四郎』は 114 回、「けれども」は 13 回対 110 回、「ところが」は 18 回対 60 回、「それから」は 42 回対 77 回となっています。さらには「要するに」「ただし」「したがって」は、『坊っちゃん』では 0 回であるのに対し、『三四郎』では、それぞれ 6 回、7 回、10 回です。『坊っちゃん』の方が『三四郎』よりも多く使われている接続詞というのは、ここに挙げたものでは「つまり」と「それも」だけなのです。こうしたことから『坊っちゃん』は、接続詞の使用頻度が低い作品と言ってよいでしょう。

⑤　なぜこうしたことになっているのでしょうか。もちろん漱石の文体が時間とともに変化したということは考えられます。日本では近代化される以前の文章では接続詞の使用頻度が低かったことを考え合わせれば、まだ江戸時代の戯作文学の流れを残している可能性のある『坊っちゃん』は、接続詞の少ない文体となっているということは考えられます。しかし『坊っちゃん』よりも先に書かれた『吾輩ハ猫デアル』では、接続詞が多用されています。たとえば「しかし」194 回、「けれども」34 回、「ところが」104 回、「それから」99 回、「それに」35 回などです。つまり『坊っちゃん』の接続詞の使用頻度の低さと『三四郎』の接続詞の使用頻度の高さは、漱石が江戸時代の戯作文学の流れから脱却し、西洋風の近代小説へと変化したためとは言えないということになります。

⑥　では、この接続詞の使用頻度の違いは何に由来するのでしょうか。『坊っちゃん』とほぼ同時期に執筆された作品に『草枕』があります。『草枕』の書き出しは有名です。スライドをご覧下さい。「智に働けば角が立つ。情に棹させば流される。意地を通せば窮屈だ。とかくに人の世は住みにくい」です。これは近代的な個人主義と社会との関わりを象徴

的に表している文章と言ってよいでしょう。漱石は近代的な自我、つまり個人の確立を目指していましたし、それが漱石文学の大きな主題と言ってもよいでしょう。漱石にとってこの個人主義は、生まれながらにあるものではなく、知性によって獲得され、確立されるものでした。そうした意味では、人間が成長してから知的に習得する「智」なのです。一方、当時の現実の社会は個人の確立を認めない、一種の集団主義である「世間」のままでした。しかしこの「世間」は、没個性的に埋没して、そこに流れる「情」に身を委ねている分には安穏としていられるところです。これが「情」なのです。こうした「情」である世間に対して「智」である個人主義を標榜し、我が道を行くとなると「角が立つ」ことになります。だからといって「智」を捨てて、「情」である「世間」に身を委ねたままでは「流される」だけになってしまいます。こうした2つのベクトルに引き裂かれていたのが、明治末期の近代人なのです。そしてこの個人と社会との関係の在り方が異なった形で、『坊っちゃん』と『三四郎』に現れています。

⑦　『坊っちゃん』の主人公が坊っちゃんなのは、清から「坊っちゃん」と呼ばれるからではないのです。主人公は「世間」を知らない「世間知らず」なので、坊っちゃんなのです。そのため「世間」のルールに従わず、「情」に流されないのです。実際、主人公が赴任先で起こす騒動の多くは松山や中学といった「世間」に順応せず、自分は正しいと思うことを一貫して行うことから起こることです。そうした意味では、松山という「世間」の基準ではなく、自己の判断によって善悪を認識しているので、個が確立されていると言ってよいでしょう。個人によって確立された正義＝「智」が働くので、角が立ってしまうのです。それが『坊っちゃん』の珍騒動なのです。主人公の「坊っちゃん」は自分の正義に従って行動するので「情」に流されることがないのですが、それは自らを「住みにくく」させてしまいます。
　一方の『三四郎』の物語の構造ですが、実は『坊っちゃん』のそれに似ています。三四郎は熊本から東京に上京してきたという意味では坊っ

ちゃんとは逆のコースを辿っていますが、未知の土地、東京という「世間」に赴いていくという点では一緒です。「世間」を知らないという点では同じ構造を持っています。しかし三四郎と坊っちゃんを分かつのは、世間との関係の取り方です。坊っちゃんは自己の正義である「智」＝個を一貫して主張するのですが、三四郎は東京という「世間」に戸惑い、疑問を投げかけつつも、その「世間」との関わりで個を確立しようとしています。『三四郎』の有名なフレーズ「ストレイシープ」は、「世間」に流され、個を失いそうになりながら、それでも個を見出そうとしている主人公を象徴的に表していると言ってよいでしょう。つまり三四郎は、坊っちゃんのように「智」に働いて角を立てるのでもなく、「情」に棹さして流されてしまうのでもない、その中間の道を取っているように見えます。「世間」に身を置きつつ、自己を確立するという道です。

　漱石は近代的自我としての個人と社会の関係の在り方を2つ、提示して見せたと言ってよいのではないでしょうか。1つは強い個を主張し、ともすれば世間と衝突し、世間に対して角を立ててしまうものです。もう1つは「情」に流されそうになりながらも、そこで個を確立するものです。

⑧　この個と社会との関係が、接続詞に反映していると考えられます。一般に接続詞を使用すると、論理的な文章になります。論理的な文章は、相手を説得し、社会的な関係を確立するのに有効なものです。このことからすると、社会に自己の正義を説明し、納得してもらう気がない『坊っちゃん』の主人公の行動を語る文章から接続詞が少なくなるのはある意味で当然なのかもしれません。彼は自分がなぜ正しいのかを説明することなしに、正義を行使するため、論理的である必要がないのです。

⑨　一方、自己を確立しながら、その自己を社会に受け入れてもらうことを目指している『三四郎』は、論理的に主人公の感情や行動を説明し、納得してもらう必要があります。そのため接続詞が多用され、「世間」を構成している人たちに理解してもらうべく語っていることになります。それが2つの作品の接続詞の多寡に繋がっていると考えられます。

⑩　以上のことから、『坊っちゃん』と『三四郎』の接続詞の使用頻度の違いは、漱石が近代的な自我の在り方を二通りの仕方で表現しようとしたことに由来すると考えられると結論づけられるでしょう。つまり漱石は『坊っちゃん』では、個を確立し、その確立された個の倫理観を全面的に押し出すことが問題であって、その個が世間と折り合いをつける必要がなかったため、接続詞で論理的に述べる必要を感じなかったのではないでしょうか。一方、『三四郎』では、個の確立をしつつも世間と関係していくことを目指しているので、自分を世間の中に確立し、認めてもらうために論理的にならざるを得ないので、接続詞を多用するという文体に結びついたと言えるでしょう。

　なお漱石は、近代的な自我の確立を求めるだけでは、当時の日本の風土では排除されるだけであると感じていたのかもしれません。『坊っちゃん』では、主人公は最終的に松山を離れ、東京に戻ります。それは世間に対して「智」だけを主張するのでは、そこから排除されるしかないからです。ところで『坊っちゃん』の最後は、東京という自分の知っている「世間」に戻り、街鉄の技士になり、清と穏やかな生活をすることが描かれています。これは「智」だけを振りかざすのではなく、「情」のなかで「智」を確立したと考えられます。おそらくこの最後を受けて、『三四郎』という「智」と「情」の折り合いの付け方を主題にした物語が考えられたとするのはうがった見方でしょうか。

⑪　以上で私の発表を終わります。参考文献はここに挙げたものになります。ご静聴、ありがとうございました。

＊　　　＊　　　＊

　いかがだろうか。最後に課題を出して終わろう。この発表に対して、みなさんはどのような質問を考えることができるだろうか。

参考文献一覧

　主として本文中で使用したテキストを紹介しておきます。本文中では引用箇所の情報を提示しませんでしたが、この場を借りて、引用させていただいたテキストの作者、訳者には感謝申し上げます。

◎アカデミック・スキルズ関係

佐藤望編著、横山千晶、湯川武、近藤明彦著『アカデミック・スキルズ　第3版──大学生のための知的技法入門』慶應義塾大学出版会、2020年

新井和広、坂倉杏介『アカデミック・スキルズ　グループ学習入門──学びあう場作りの技法』慶應義塾大学出版会、2013年

市古みどり編著、上岡真紀子、保坂睦著『アカデミック・スキルズ　資料検索入門──レポート・論文を書くために』慶應義塾大学出版会、2014年

大出敦『アカデミック・スキルズ　クリティカル・リーディング入門──人文系のための読書レッスン』慶應義塾大学出版会、2015年

西山敏樹、鈴木亮子、大西幸周『アカデミック・スキルズ　データ収集・分析入門──社会を効果的に読み解く技法』慶應義塾大学出版会、2013年

◎プレゼンテーション関係

ロバート・R・H・アンホルト著、鈴木炎、イイイン・サンディ・リー訳『理系のための口頭発表術　聴衆を魅了する20の原則』講談社、2008年

井庭崇、井庭研究室『プレゼンテーション・パターン──創造を誘発する表現のヒント』慶應義塾大学出版会、2013年

狩野光伸『論理的な考え方 伝え方──根拠に基づく正しい議論のために』慶應義塾大学出版会、2015年

川喜田二郎『発想法　改版──創造性開発のために』中公新書、中央公論新社、2017年

川喜田二郎『続・発想法──KJ法の展開と応用』中公新書、中央公論新社、1970年

菊田千春、北林利治『大学生のための論理的に書き、プレゼンする技術』東洋経済新報社、2006年

酒井聡樹『これから学会発表する若者のために──ポスターと口頭のプレゼン技術』共立出版、2008年

関田一彦、山﨑めぐみ、上田誠司『授業に生かすマインドマップ──アクティブラーニングを深めるパワフルツール』ナカニシヤ出版、2016年

専修大学出版企画委員会編『新・知のツールボックス──新入生のための学び方サポートブック　新装版』専修大学出版局、2018 年

高田晴久『ロジカル・プレゼンテーション──自分の考えを効果的に伝える戦略コンサルタントの「提案の技術」』英治出版、2004 年

戸田山和久『論理学をつくる』名古屋大学出版会、2000 年

戸田山和久『科学哲学の冒険──サイエンスの目的と方法をさぐる』NHK ブックス、NHK 出版、2005 年

西山敏樹『大学 1 年生からの研究の始めかた』慶應義塾大学出版会、2016 年

野矢茂樹『論理トレーニング 101 題』産業図書、2001 年

野矢茂樹『新版　論理トレーニング』産業図書、2006 年

野矢茂樹『大人のための国語ゼミ』山川出版社、2017 年

平林純『論理的にプレゼンする技術──聴き手の記憶に残る話し方の極意』サイエンス・アイ新書、ソフトバンククリエイティブ、2009 年

トニー・ブザン、バリー・ブザン著、神田昌典訳『ザ・マインドマップ』ダイヤモンド社、2005 年

堀公俊、加藤彰『ロジカル・ディスカッション──チーム思考の整理術』日本経済新聞社、2009 年

宮野公樹『学生・研究者のための使える！ PowerPoint スライドデザイン──伝わるプレゼン　1 つの原理と 3 つの技術』化学同人、2009 年

森重湧太『一生使える見やすい資料のデザイン入門』インプレス、2016 年

Robin Williams 著、米谷テツヤ、小原司監訳、吉川典秀訳『ノンデザイナーズ・デザインブック　第 4 版』マイナビ出版、2016 年

◎その他

マルクス・ガブリエル著、姫田多佳子訳『「私」は脳ではない──21 世紀のための精神の哲学』講談社選書メチエ、講談社、2019 年

ことば学習研究会編『語源まるわかり事典──言葉のなぜ？どうして？がわかる本』メイツ出版、2011 年

エドワード・W・サイード著、杉田英明、板垣雄三監修、今沢紀子訳『オリエンタリズム』上・下、平凡社ライブラリー、平凡社、1993 年

古川愛哲『江戸の歴史は大正時代にねじ曲げられた──サムライと庶民 365 日の真実』講談社 + α 新書、講談社、2008 年

『週刊サンケイ臨時増刊　大殺陣・チャンバラ映画特集号』サンケイ出版、昭和 51 年 11 月 8 日号

著者略歴

大出　敦（おおで・あつし）［編者］

1967 年栃木県小山市生まれ。慶應義塾大学文学部卒業、筑波大学大学院後期博士課程単位取得退学。慶應義塾大学法学部教授。専門はフランス文学（マラルメ、クローデル）。主な著書に『マラルメの現在』（編著、水声社）、『日本におけるポール・クローデル——クローデルの滞日年譜』（共編、クレス出版）、訳書にアレクシス・フィロネンコ『ヨーロッパ意識群島』（共訳、法政大学出版局）などがある。

直江健介（なおえ・けんすけ）

1980 年埼玉県草加市生まれ。慶應義塾大学環境情報学部卒業。慶應義塾大学大学院政策・メディア研究科後期博士課程修了。博士（政策・メディア）。専門分野は情報セキュリティ、機械学習。現在、イッセイ株式会社取締役として Web や PaaS 事業に従事。元慶應義塾大学湘南藤沢メディアセンターライティング＆リサーチコンサルタント。

アカデミック・スキルズ
プレゼンテーション入門
——学生のためのプレゼン上達術

2020 年 8 月 20 日　初版第 1 刷発行
2024 年 1 月 25 日　初版第 3 刷発行

監　修————慶應義塾大学教養研究センター
著　者————大出　敦［編者］・直江健介
発行者————大野友寛
発行所————慶應義塾大学出版会株式会社
　　　　　　　〒 108-8346　東京都港区三田 2-19-30
　　　　　　　TEL〔編集部〕03-3451-0931
　　　　　　　　〔営業部〕03-3451-3584〈ご注文〉
　　　　　　　〔　〃　〕03-3451-6926
　　　　　　　FAX〔営業部〕03-3451-3122
　　　　　　　振替　00190-8-155497
　　　　　　　https://www.keio-up.co.jp/
装　丁————廣田清子
組　版————ステラ
印刷・製本——中央精版印刷株式会社
カバー印刷——株式会社太平印刷社

慶應義塾大学出版会

アカデミック・スキルズ（第3版）
―大学生のための知的技法入門

佐藤望編著／湯川武・横山千晶・近藤明彦著　累計 12 万部を超える大学生向け学習指南書のベスト&ロングセラーを 8 年ぶりに改版。最新の情報環境との付き合い方や活用法に関する内容を追加。　　　　　　　定価 1,100 円（本体 1,000 円）

アカデミック・スキルズ シリーズ ━━━━━━━━━━━

グループ学習入門―学びあう場づくりの技法

新井和広・坂倉杏介著　信頼できるグループの作り方、アイデアを引き出す技法、IT の活用法、ディベートの準備など、段階に合わせて、気をつけるポイントを紹介。　　　　　　　　　　　　　　定価 1,320 円（本体 1,200 円）

データ収集・分析入門―社会を効果的に読み解く技法

西山敏樹・鈴木亮子・大西幸周著　モラルや道徳を守りながら、人や組織の行動を決定づけるデータを収集・分析し、考察や提案にまとめる手法を紹介。　　　　　　　　　　　　　　　　　　　　定価 1,980 円（本体 1,800 円）

資料検索入門―レポート・論文を書くために

市古みどり編著・上岡真紀子・保坂睦著　テーマや考えを固めるために必要な資料（根拠や証拠）を検索し、入手するまでの「検索スキル」を身につけるための入門書。　　　　　　　　　　　　　　　定価 1,320 円（本体 1,200 円）

学生による学生のためのダメレポート脱出法

慶應義塾大学日吉キャンパス学習相談員著　実際に大学の学習相談に寄せられた質問を元に、レポート・論文執筆のポイントを、大学の学生相談員が「学生の目線」から易しく解説。　　　　　　　　　定価 1,320 円（本体 1,200 円）

実地調査入門―社会調査の第一歩

西山敏樹・常盤拓司・鈴木亮子著　これから調査を行う初心者でも、調査の計画・実施から、データの収集・分析、研究成果の発表までを理解できるように、ふんだんな事例とともに解説。『データ収集・分析入門』の姉妹編。
　　　　　　　　　　　　　　　　　　　　定価 1,760 円（本体 1,600 円）

クリティカル・リーディング入門―人文系のための読書レッスン

大出敦著　「どうやって読んだらいいのか」、「感想文ではなぜ駄目なのか」、「何を論じたらいいのか分からない」という大学生がぶつかる悩みに、人文系の例題を使って答える一冊。　　　　　　　　　定価 1,980 円（本体 1,800 円）